PAOLO E. BALBONI E MATTEO SANTIPOLO

Profilo di STORIA ITALIANA
PER STRANIERI

PROGETTO
CULTURA
ITALIANA

Profilo di Storia Italiana Per Stranieri

La realizzazione dell'opera è stata così suddivisa:

Paolo E. Balboni: testi storici
Matteo Santipolo: attività didattiche, antologia di testi storici, cronología

I edizione
© Copyright 2003 Guerra Edizioni Perugia

II edizione
© Copyright 2004 Guerra Edizioni Perugia

ISBN 88-7715-785-2

Progetto grafico
salt & pepper_perugia

Guerra Edizioni
via Aldo Manna, 25 - Perugia (Italia)
tel. +39 075 5289090
fax +39 075 5288244
e-mail: geinfo@guerra-edizioni.com
www.guerra-edizioni.com

PAOLO E. BALBONI E MATTEO SANTIPOLO

Profilo di **STORIA ITALIANA PER STRANIERI**

NUOVA EDIZIONE RIVEDUTA E CORRETTA

Guerra Edizioni

p. 5

p. 33

p. 45

p. 55

p. 17

p. 67

p. 81

p. 95

pagina

pagina

1
etruschi, greci, romani

L'Italia è divisa in tre diversi "mondi" che tremila anni fa erano molto distanti:
- il nord, la grande pianura del Po e dei fiumi che scendono dalle Alpi, era abitata dai Celti, gli stessi che avevano conquistato l'Europa occidentale, fino all'Irlanda
- la penisola, montuosa, povera, era abitata da tribù sempre in guerra tra loro (Umbri, Piceni, Sanniti, Latini, ecc.), ma al Centro viveva un popolo, gli Etruschi, che estendeva il suo dominio anche su alcune coste
- le coste della penisola e delle isole, con colonie greche e cartaginesi, molto più ricche e avanzate di tutti i popoli italici

Vedremo in queste prime schede (dove la "linea del tempo" che ti guida in questa storia è un po' confusa e ripetitiva, per poter seguire queste diverse realtà) l'unificazione dell'Italia sotto Roma e la sua trasformazione nel centro del mondo Mediterraneo.

L'Italia Pre-Romana

Soldato etrusco

L'uomo nasce in Africa e lentamente occupa il Medio Oriente, poi risale in Europa. Intorno al 3000 a.C. inizia nei Balcani la prima agricoltura europea e da lì si diffonde verso l'Italia e il resto del continente.
Sappiamo poco sulle popolazioni preistoriche che vengono cancellate dai nuovi popoli. Il più antico ritrovamento è a Isernia, nell'attuale Molise, ma ci sono resti di palafitte anche in alcuni luoghi delle prealpi, le colline create dallo scioglimento dei ghiacciai intorno al 10.000 avanti Cristo.

I POPOLI INDOEUROPEI

Le grandi civiltà del Medio Oriente (dall'attuale Turchia all'Iraq, all'Iran e all'Egitto) resistono alle tribù nomadi che vengono dall'India, dalla Siberia, dalla Russia; questi popoli "indoeuropei" occupano l'Europa e anche la nostra penisola: Latini, Piceni, Sanniti al centro-sud, i Celti (Galli e Liguri) nella Pianura del Po, i Veneti nel Nordest.
Mentre nel resto d'Europa i Celti hanno lasciato grandi monumenti, da Stonehenge in Inghilterra ai menhir in Francia, in Italia la loro presenza è stata "cancellata" dai Latini.

GLI ETRUSCHI

C'è un popolo italico che non si arrende agli invasori indoeuropei, ma li ignora, li assorbe, e in parte li domina: è il misterioso popolo etrusco, che dalla Toscana e dall'Umbria si spinge fino a Roma (alcuni re, come vedremo a p. 10, sono etruschi), a Napoli, alla foce del

Perugia, Arco Etrusco

Po sull'Adriatico, alle coste della Corsica. Grandi navigatori, ottimi mercanti, gli etruschi vengono alla fine assorbiti dai romani, ma lasciano grandi monumenti (mura ed edifici in Toscana e Umbria) e "necropoli", cioè "città dei morti": grandi gruppi di tombe scavate nella roccia o costruite sotto terra, con affreschi, statue, gioielli. La loro lingua costituisce ancor oggi un mistero.

1200 a.c	1100 a.c	1000 a.c	900 a.c	800 a.c	700 a.c

1200 a.c. circa Guerra di Troia. In Egitto regna Ramsess II, il più grande Faraone

1004 Davide re di Israele

La nostra linea del tempo inizia nel 1200 a.C.
In questo periodo l'Europa occidentale è assente dalla storia, che si svolge tutta nel Medio Oriente:
- gli Ittiti della Turchia centrale combattono contro gli egiziani, che con il Faraone Ramses II raggiunge il massimo splendore;
- nella Mesopotamia (tra i fiumi Tigri ed Eufrate) sorgono gli imperi assiro e babilonese, che sono poi riuniti nell'impero persiano;
- i greci europei combattono contro i greci asiatici (Troia) per il dominio sul Mar Nero e il Mare Egeo.

Le Piramidi, Egitto

- *Ritrovamento: in archeologia si riferisce alla scoperta di antiche opere.*
- *Palafitte: antiche abitazioni che poggiavano su pali piantati sul fondo o sulla riva di laghi o paludi.*
- *Indoeuropei: popolazioni che, dal 3000 a. C. circa, partendo dall'Anatolia, si sono poi diffuse verso est fino all'India e ad ovest per tutta l'Europa.*
- *Assorbiti: sottomessi, occupati.*
- *Supremazia: predominio, autorità suprema, controllo superiore.*

Teatro Sannita

Un Nuraghe in Sardegna

I SANNITI

I Sanniti sono il più potente popolo del Centro-Sud e fanno da contrappeso agli Etruschi del Centro-Nord: vivono nelle colline e nelle montagne facendo i pastori, ma sanno anche commerciare e costruiscono città con teatri (come quello di Sepino, vicino a Campobasso, nella foto) e palazzi non inferiori a quelli etruschi e romani di quei secoli.

Rivolti verso l'Adriatico, sempre più dominato dai Greci, i Sanniti cercano di trovare uno sbocco nel Tirreno e tra il 350 e i 300 a.C. combattono contro i Romani, che alla fine li sconfiggono definitivamente.

Testa fenicia

I FENICI

I fenici, che provengono dall'attuale Libano, hanno creato una colonia nell'attuale Tunisia, Cartagine. Abilissimi mercanti, molto avanzati tecnologicamente rispetto ai popoli italici (ad esempio sapevano utilizzare il vetro perfino per fare statuette come quella della foto), dominano il commercio nel Tirreno e fino alla Spagna e creano colonie in Sicilia e in altre coste del Tirreno.

Una delle grandi guerre dell'antichità, come vedrai a p. 11, è proprio quella tra Roma e Cartagine, che si giocano la supremazia sul Mediterraneo occidentale.

I SARDI

Si tratta di un popolo misterioso, in parte diverso da tutti quelli che erano venuti dall'Asia.

I Cartaginesi prima ed i Romani poi conquistano le loro coste, per cui i Sardi si rifugiano nelle colline e nelle montagne dell'interno della Sardegna, dove ancora oggi rimangono dei "castelli" che si chiamano nuraghi e che si trovano solo in questa grande isola. Puoi vederne uno nella foto.

551 Nasce Confucio

443 Con Pericle inizia l'età d'oro di Atene

| 600 a.c | 500 a.c | 400 a.c | 300 a.c | 200 a.c |

648 Assurbanipal, re Assiro, conquista l'Egitto e Babilonia

486 Muore Dario, creatore dell'Impero Persiano

336-323 Il regno di Alessandro

Con la guerra di Troia inizia la storia europea: essa segna il passaggio dalla società matriarcale (nel mito, la guerra inizia per una sfida tra tre dee) a quella patriarcale, in cui il re-eroe diviene il centro del potere e lascia i suoi beni ai figli maschi.

Molti eroi, al ritorno dalla guerra di Troia, finiscono in Italia, e legano così la nostra penisola alla più grande epica greca: Ulisse arriva in Sicilia, dove incontra i ciclopi, e poi vicino a Napoli trova le sirene e la maga Circe; Enea, figlio di Venere, fugge verso l'Italia, diviene re del Lazio e antenato dei romani; Antenore trova rifugio nella pianura padana e fonda Padova...

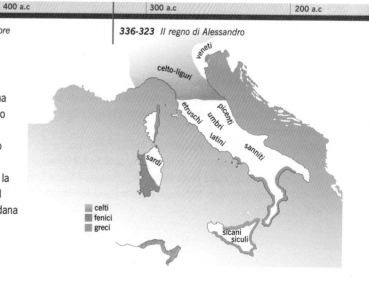

celti
fenici
greci

La Magna Grecia

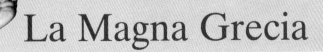

*Mentre i popoli nomadi indoeuropei (Celti, Veneti; vedi p. 7-8) arrivano
in Italia dal nord, i Greci creano le loro colonie sulle coste del sud d'Italia.*

LE COLONIE

La parola "colonia" ci ricorda oggi lo sfruttamento delle potenze europee negli altri
continenti, ed è quindi una parola negativa; invece, nel mondo greco (e in quello fenicio,
da cui nasce Cartagine) una colonia è una "nuova città" (nea polis, da cui "Napoli")
creata dai giovani di una città greca quando ormai questa è diventata troppo popolosa,
non può più nutrire tutti, e soprattutto non permette più la democrazia, che in Grecia
significa che tutti i cittadini si conoscono e hanno diritto di parola.

Quindi le colonie greche in Italia nascono per sfruttare i territori, ma si portano
dietro il meglio della scienza, della tecnologia e della cultura greca:
formano una grande (in latino: Magna) Grecia.

LA POLIS

Per i greci, che sono indoeuropei, la struttura sociale di base è la città-stato,
la "polis" (da cui la parola "politica"): le colonie greche non creeranno mai uno
stato unitario, anzi spesso sono in guerra tra loro come le loro città-madri in Grecia.
Questa tradizione di indipendenza (che ritroviamo in Italia nei secoli seguenti)
rende più facile il compito di una potenza militare come Roma, che assorbe tutte
le città greche in Italia tra il 300 e il 200 a.C.

Statua di Afrodite

409 *I Cartaginesi cominciano la conquista
delle colonie greche in Sicilia*

| 600 a.c | 550 a.c | 500 a.c | 450 a.c | 400 a.c |

594 *Solone rilancia Atene*

480 *A Salamina i Greci
sconfiggono i Persiani*

431-404 *La guerra Atene-Sparta porta
rovina alle colonie in Sicilia*

443-429 / *Con Pericle inizia l'età
d'oro di Atene*

La politica del mondo greco si interessa poco all'Italia che sta prendendo forma: è
rivolta a est, perché da là arrivano i vari tentativi di invasione da parte dei Persiani
(che in quegli anni hanno assorbito anche il popolo Ebraico e tutti i popoli
dell'attuale Turchia).

E sarà un greco del nord, della Macedonia, a conquistare in pochissimi anni tutto
l'impero egizio, quello dei persiani e di molti altri popoli fino all'Himalaya:
Alessandro, che porta la cultura greca ("ellenistica") in tutto il Medio Oriente, dove
resterà fino ai tempi dell'Impero Romano e si prolungherà con l'impero Bizantino.

Statua in marmo di Alessandro

- *Nomadi: popoli che si
  spostano continuamente.*

- *Sfruttamento: violenza
  su qualcuno per ottenere
  il massimo possibile dei
  vantaggi per sé.*

- *Nutrire: sfamare, dare
  da mangiare.*

- *Dèi: plurale di dio,
  divinità.*

*Monete
dell'epoca romana*

ARTE E SCIENZA DALLA GRECIA ALL'ITALIA

Attraverso le colonie arrivano in Italia dalla Grecia l'arte,
la scienza e la filosofia: Pitagora ha la sua scuola a Crotone,
in Calabria, e Archimede fa i suoi studi a Siracusa, una
delle più importanti città del Mediterraneo, dove vive a
lungo anche Platone.

Nelle foto puoi vedere esempi di arte greca – e anche due
monete della colonia di Metaponto (vicino a Taranto, sul mar
Ionio), che dimostrano come anche l'economia greca basata sulle monete d'oro
e d'argento si sia sparsa in Italia dal sud verso Roma.

ROMA E LE COLONIE GRECHE

Roma è una potenza militare (come vedrai a pagina 10-11), quindi presto
conquista le colonie greche, e poi l'intera Grecia.

Eppure i romani hanno sempre avuto un "complesso di inferiorità" verso
la cultura greca, per cui l'Iliade e l'Odissea restano la base dell'educazione
del nobile romano, e in ogni casa ricca c'è uno schiavo greco, colto, raffinato,
che insegna questa lingua internazionale ai romani.

In pochi secoli, Roma "traduce" anche gli dèi greci facendoli propri, per cui
le antiche divinità italiche vengono identificate con quelle del mondo greco.

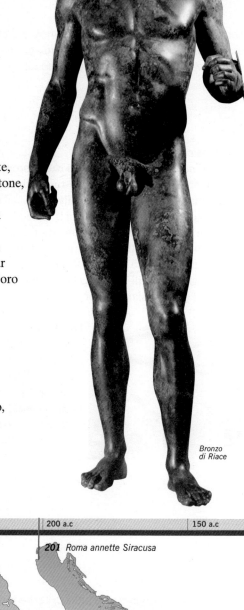

*Bronzo
di Riace*

350 a.c	300 a.c	250 a.c	200 a.c	150 a.c
336-323 *Il regno di Alessandro*	**272** *Roma conquista Taranto*		**201** *Roma annette Siracusa*	

Tra il 600 a.C., data in cui inizia la linea del tempo in
questa pagina, e il 300, in cui si chiude l'impero di
Alessandro, nasce tranquillamente, senza sconvolgimenti
politici, un altro impero greco: quello conosciuto come
"grande Grecia". Sono le colonie che, partendo dalle
singole polis, portano la civiltà, la filosofia, i commerci
greci in Italia e Francia meridionali, affiancandosi ai fenici
(cfr. p. 7) nel dominio del Mediterraneo.

Nizia
Marsiglia
Emporie
Alalia
Cuma
Napoli — Taranto
Paestum — Metadonn
Sibari
Messina — Crotone
Reggio
Selinunto — Catania
Agrigento — Siracusa

■ Colonie VIII - IV sec.
■ Grecia pre - VIII sec.

Roma repubblicana

Secondo la tradizione nel 753 Romolo e Remo fondano Roma, che nasce dalla fusione tra i Latini (che abitavano in un villaggio nella zona dell'attuale Colosseo) e i Sabini, che avevano alcuni villaggi dove adesso c'è la Stazione Termini.

Giulio Cesare

ROMA CITTÀ ETRUSCA
I romani non hanno mai ammesso che le proprie origini fossero intrecciate con il mondo etrusco, che essi si sforzarono di conquistare e assimilare – ma all'inizio la vita di Roma è legata all'Etruria, da cui la divide solo il Tevere. Dei sette re leggendari che regnano tra il 753 e il 510 a.C., quando nasce la Repubblica, i primi quattro sono latini (e si espandono verso sud), ma sono i tre re etruschi che fanno la grandezza di Roma, e che creano mura e strutture che ancor oggi possiamo vedere.

Un tempio a Roma

LA REPUBBLICA
Nel 510 a.C., Bruto (un antenato di quel Bruto che ucciderà Giulio Cesare 450 anni dopo, per difendere la Repubblica) uccide il re Tarquinio e nasce la repubblica, governata da due consoli che sono capi del governo e dell'esercito, e che devono rendere conto delle loro decisioni al Senato (l'aristocrazia terriera).

Tutte le cariche durano un anno e ogni patrizio (appartenente alle famiglie originarie dei fondatori di Roma: non può lavorare, ma vive dei ricavi delle sue terre) o plebeo (ricco commerciante, borghese, senza origini nobili) deve percorrere il *cursus honorum*, la serie delle cariche pubbliche che un uomo deve ricoprire prima di poter diventare console.

L'ESPANSIONE IN ITALIA E NEL MEDITERRANEO
Roma è organizzata in maniera militare e ha nell'esercito il centro del potere reale.
Nel 396 Roma sconfigge Veio, una città etrusca, e si apre verso il Nord della penisola, ma nel frattempo deve fronteggiare l'invasione dei Celti e la ribellione dei Sanniti (cfr. p. 7); nel giro di un secolo conquista tutta la penisola, anche se le colonie greche rimangono abbastanza indipendenti.

510 *Nasce la repubblica*

800 a.c	700 a.c	600 a.c	500 a.c	400 a.c

743 *Fondazione di Roma*

396 *Vittoria contro gli Etruschi*

Guerrieri cinesi di terracotta: nel 209 a.C. il primo imperatore cinese della dinastia Ch'in viene sepolto nella città di Lin T'ung con una guardia del corpo formata da statue di terracotta a grandezza naturale che segnano l'inizio di una tradizione di figure funerarie di uomini e animali.

Stonehenge: situato nell'Inghilterra meridionale, il monumento sembra essere stato costruito dai Celti nel II millennio a.C. Forse era un santuario del sole, ma certo era un osservatorio astronomico.

Stonehenge

Guerrieri cinesi di terracotta

Elmo romano

La piazza di
Lucca conserva
la forma
dell'antica arena
romana

Ma Roma non ha tempo di occuparsi dei greci: deve risolvere il problema del dominio del Mediterraneo occidentale, che i cartaginesi hanno in mano e dove impongono il loro commercio.

LE GUERRE CONTRO CARTAGINE

Cartagine, di origine fenicia, si trova dove oggi c'è Tunisi, e da lì ha conquistato il nord dell'Africa, la Spagna mediterranea, parte delle coste della Sicilia, della Sardegna e della Corsica: per Roma è un pericolo.
In tre guerre, dopo aver rischiato di essere distrutta dal generale cartaginese Annibale, Roma cancella Cartagine, spargendo sale sulle sue fondamenta per simboleggiare che neppure l'erba doveva più nascere in quel luogo.

LA FINE DELLA REPUBBLICA

Le conquiste danno sempre più potere all'esercito, i cui capi Mario (del partito popolare) e Silla (aristocratico) usano le legioni in guerre civili, come se fossero truppe private, per ottenere la "dittatura", cioè il potere assoluto in una repubblica ormai incapace di governare possedimenti così vasti.

Le guerre civili tra Mario e Silla prima, e tra Pompeo e Cesare poi, segnano la fine della Repubblica, mentre la corruzione domina, la ricchezza facile spinge tutti a pensare ai propri affari anziché a quelli della *res pubblica*, la "cosa pubblica"; gli oppositori politici vengono venduti come schiavi, gli spettacoli nel circo sono sempre più violenti, i gladiatori e gli schiavi tentano una rivoluzione, ma ormai lo spirito della repubblica (onesta, incorruttibile, pronta al sacrificio) è morto.

Nel 44 a.C. Cesare rifiuta la corona di re – ma è già capo dell'esercito e dittatore a vita, quindi non ne ha bisogno. Ma con lui inizia una vera monarchia, e dopo il suo assassinio il potere passerà a suo figlio (adottivo) Ottaviano Augusto, in seguito all'ultima guerra civile contro Marco Antonio.

264-146 *Tre guerre contro Cartagine*	**58-51** *Cesare conquista la Gallia (Francia, Belgio, Olanda)*	**42-27** *Guerra civile tra Antonio e Augusto e fine della Repubblica*	
300 a.c	200 a.c	100 a.c	50 a.c	1 d.c
343-290 *Guerre contro i Sanniti e gli altri popoli della penisola*	**272** *Inizia l'annessione delle colonie Greche*	**91-79** *Guerre civili e dittature di Mario e Silla*	**49-46** *Guerra civile tra Cesare e Pompeo*

L'arte indiana del periodo antico si sviluppa soprattutto nella valle del fiume Gange, durante i primi imperi. Forme architettoniche originali sono gli *stupa*, cioè i santuari scavati nella roccia. I bassorilievi ritraggono animali o divinità minori (il Buddha compare solo in modo simbolico).

Arte indiana

- *Intrecciate: unite insieme, confuse con qualcosa.*

- *Patrizio: discendente dei patres, i padri di Roma, cioè le famiglie fondatrici.*

- *Plebeo: membro della plebe, il populus – il che non significa "povero", "ignorante": solo che non è patrizio.*

- *Fondamenta: la base di una costruzione, la parte del muro che entra nella terra e da stabilità alla casa. Si usa solo al plurale.*

- *Guerra civile: una guerra tra due gruppi di una stessa città o stato.*

- *Corruzione: l'atto di corrompere, pagare una persona (non solo con soldi, ma anche con oggetti o favori) perché favorisca chi la paga.*

- *Bassorilievi: tipo di scultura formata da figure che emergono da un fondo piano.*

Roma imperiale

*Per alcuni secoli Roma e l'Italia sono il centro del mondo Mediterraneo, creando un impero che va dalla Scozia di oggi al Portogallo, dal Marocco all'attuale Iraq, dalla Turchia all'Ungheria. Un impero senza più alcuna democrazia, in cui il potere passa per eredità di padre in figlio, quando non interviene qualche generale a pretendere l'impero (il titolo **imperator** significa "comandante in capo dell'esercito").*

GRANDEZZA E MISERIA DELL'IMPERO

L'impero immenso, dominato dai militari e da affaristi senza scrupoli, rappresenta un momento di miscuglio e integrazioni di razze, etnie, popolazioni che non ha uguali nella storia: bastava sapere un po' di latino per entrare nell'esercito e iniziare la carriera politica, che poteva portare all'impero spagnoli come Traiano e Adriano, illirici (provenienti dalla Yugoslavia) come Diocleziano, inglesi come Costantino il Grande. Non serviva essere nobili, ma abili.

Quel "capitalismo" selvaggio ha come base politica e culturale la centralità di Roma, dei suoi dèi, del suo diritto; il sistema produttivo è basato sulla continua conquista di altri popoli e sulla manodopera a basso costo garantita dalla schiavitù, che coltiva le enormi distese di grano, che bonifica le paludi, che costruisce palazzi, templi, ponti secondo un'idea architettonica unitaria dall'Atlantico al Medio Oriente.

Per far funzionare questo enorme sistema, Roma crea la più imponente rete di strade mai concepita in maniera unitaria, sistematica; elabora un sistema giudiziario organico, il Diritto romano; crea un sistema economico integrato, con una moneta unica ed un sistema di tassazione feroce verso i popoli sottomessi.

Casa Romana, Pompei

---

70 *Inizia la costruzione del Colosseo*

98-117 *Con Traiano l'impero raggiunge la sua massima estensione*

| 0 d.c | 50 d.c | 100 d.c | 150 d.c | 200 d.c | 250 d.c |

27 *Augusto console a vita e* **imperator***, cioè comandante dell'esercito*

68 *Con Nerone finisce la dinastia di Giulio Cesare*

125 *Adriano costruisce il "vallo", il muro che separa Inghilterra e Scozia*

Dal III secolo a. C. al III secolo d. C. la Persia è dominio della popolazione dei Parti, antica tribù scita. Il principale sovrano è Mitridate I che governa dal 171 al 138 a. C. e conquista tutto l'Iran e la Mesopotamia.
Più o meno nella stessa regione dal 227 d. C. si stabilisce l'Impero Sassanide che diventa ben presto il più potente e pericoloso avversario dell'Impero Romano nelle province orientali.
Contemporaneamente dalle steppe dell'Europa nord-orientale altre popolazioni di origine scita scendono a minacciare i confini di Roma.

Arte sassanide

Arte scita

Ricostruzione di un foro romano

Via romana

L'IMPATTO DELLA CULTURA GRECA E GIUDAICA

In questa situazione di arricchimenti violenti e miserie improvvise, si diffondono due reazioni alla scomparsa della morale che aveva retto la Repubblica per secoli:
- una, di origine greca, portata dagli intellettuali che seguono le teorie di Epicuro e degli stoici;
- una, di origine giudaica, che San Paolo "traduce" per il mondo latino e che diventerà il cristianesimo.

Da solo quest'ultimo non avrebbe potuto mettere in crisi l'impero, ma la morale proposta da San Paolo trova terreno fertile a Roma perché è molto simile a quella degli stoici – onestà, rifiuto di una vita dedicata solo al potere e alla ricchezza, abbandono della religione greco-romana tradizionale, con le sue centinaia di dèi provenienti da tutto il Mediterraneo e adorati tutti insieme nel tempio del *Pantheon* ("Tutti gli Dei"), ancor oggi usato come tempio dopo 2000 anni.

UN GIGANTE TROPPO GRANDE PER I SUOI TEMPI

La crisi filosofico-religiosa e i dubbi morali della classe intellettuale, da un lato, e la mancanza di competenza economica da parte dei generali che guidano un esercito enorme, sono i due punti deboli che non consentono all'impero di reggere: solo due imperatori-filosofi come Adriano (117-138) e Marco Aurelio (167-180) riescono a capire la situazione, ma dopo di loro riprende la serie di violenze, guerre civili, persecuzioni anti-cristiane per dare un "nemico" alla popolazione (come fece Hitler con gli ebrei), finché con Diocleziano (284-305) l'impero viene diviso in due (Occidentale e Orientale), e ciascuna di queste parti in altre due sezioni.

Il suo erede, Costantino il Grande (312-337), accetta il Cristianesimo come religione di Stato e sposta la capitale a Costantinopoli (l'attuale Istanbul): è la fine per Roma, che rimane capitale dell'Occidente fino al 476 – anche se dal 394 in Italia si è stabilito un regno "barbarico" con capitale a Ravenna, come vedremo nel prossimo capitolo.

---

293 Diocleziano divide l'Impero in 4 parti

330 Bisanzio diventa "Costantinopoli" e la capitale dell'Impero romano

| 300 d.c | 350 d.c | 400 d.c | 450 d.c | 500 d.c |

313 Costantino dichiara il Cristianesimo religione di Stato

476 Romolo Augustolo, l'ultimo imperatore, lascia il trono.

- *Manodopera: operai, lavoratori.*
- *Bonifica: scava canali che portano via l'acqua delle paludi, lasciando terreno coltivabile.*
- *Concepita: immaginata, pensata.*

- *Trova terreno fertile: cresce e si diffonde facilmente, come un seme che cade su una terra nutriente.*
- *Reggere: continuare (a governare).*

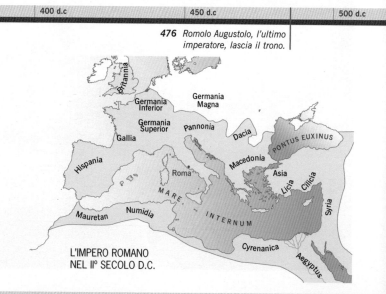

L'IMPERO ROMANO NEL II° SECOLO D.C.

Il paesaggio dell'Italia romana

L'immagine di Roma che molti di noi hanno preso da film come *Ben Hur* o *Il gladiatore* è imprecisa ma ha un elemento di verità: l'incredibile ricchezza, grandiosità e bellezza di questa capitale del mondo, in cui vivevano più di un milione di persone – i ricchi in palazzi impressionanti, i poveri in quartieri malsani, miserabili, spesso distrutti da incendi.

Ricchi e poveri si trovavano nei templi, nel foro (la grande serie di piazze nel centro), e soprattutto nel circo massimo, nei teatri e in strutture come il Colosseo, capace di ospitare 70.000 spettatori. Il paesaggio urbano era simile in tutto l'Impero, solo in dimensioni minori.

Ricostruzione di Roma nell'età imperiale

La vita di città non piaceva ai ricchi, che quando potevano andavano nelle ville di campagna, che erano in realtà i centri delle loro proprietà terriere.

I grandi boschi d'Europa erano stati distrutti sia per avere legno da costruzione sia per poter seminare grano, la base della produzione agricola; nei boschetti che rimanevano si andava a caccia, che non era solo un passatempo ma anche un modo di procurarsi carne senza uccidere pecore e mucche, preziose per il latte.

Per i romani la campagna era la fonte primaria di ricchezza, quindi i fiumi erano curati, le paludi erano bonificate, si piantavano filari di alberi per interrompere il vento e prosciugare i campi, si portava l'acqua con lunghi acquedotti per irrigarli.

Affresco di Pompei che raffigura una "villa" lungo un fiume

* Bonificate: da **bonificare**, asciugare e rendere fertile un terreno paludoso.

* Filari: alberi piantati in fila.

* Prosciugare: allontanare da un terreno le acque paludose, ferme.

* Irrigarli: dal verbo **irrigare**, bagnare campi, prati, terreni per poterli coltivare.

Facciamo il punto

Completa correttamente le seguenti affermazioni.

1. **Il più antico ritrovamento archeologico di popolazioni in Italia è stato fatto a**
   a) Istrana
   b) Isernia
   c) Iseo
   d) Imola

2. **Gli etruschi hanno cominciato a diffondersi da**
   a) Emilia-Romagna
   b) Molise
   c) Toscana
   d) Marche

3. **Le prime colonie nell'Italia del sud sono state fondate da**
   a) Romani
   b) Etruschi
   c) Celti
   d) Greci

4. **Le più antiche origini di Roma sono**
   a) etrusche
   b) greche
   c) sarde
   d) celtiche

5. **Dei leggendari sette re di Roma**
   a) cinque
   b) due
   c) tre
   d) sei
   sono etruschi.

6. **L'antica città rivale di Cartagine si trovava dove oggi c'è**
   a) Tripoli
   b) Casablanca
   c) Algeri
   d) Tunisi

7. **La fine della Repubblica a Roma è dovuta**
   a) alla guerre civili
   b) alla guerra con Cartagine
   c) alle invasioni dei barbari
   d) alla morte di Silla

8. **Nel 44 a. C. Giulio Cesare è**
   a) imperatore di Roma
   b) re di Roma
   c) capo del Senato
   d) dittatore a vita

9. **Per entrare nell'esercito di Roma e iniziare la carriera politica bisognava**
   a) essere nativi di Roma
   b) sapere un po' di latino
   c) essere nobili
   d) sapere un po' di greco

10. **L'impero viene diviso in due parti dall'imperatore**
    a) Marco Aurelio
    b) Diocleziano
    c) Traiano
    d) Adriano

La parola agli storici

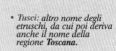

L'IMPERO ETRUSCO

Prima dei Romani e del loro impero, i Tusci ebbero una civiltà fiorente ed ampia per terra e per mare: il mare Superiore ed il mare Inferiore, che circondano l'Italia come un'isola, testimoniano con il loro nome quanto la potenza di quell'impero fosse grande: le popolazioni italiche avevano chiamato l'uno mare Tusco, dallo stesso nome della nazione, l'altro mare Adriatico, dal nome di Adria, colonia dei Tusci.

I Greci li chiamano mare Tirreno e mare Adriatico. Padroni del territorio che si stende tra i due mari, gli Etruschi si costruirono dodici città e si stabilirono da prima di qua dall'Appennino verso il mare Inferiore. Da queste dodici città inviarono poi al di là dell'Appennino altrettante colonie, che invasero tutto il paese al di là del Po, fino alle Alpi, meno la terra dei Veneti.

Tito Livio, *Storia di Roma.*

LA FELICE POSIZIONE GEOGRAFICA DI ROMA

Romolo seppe usufruire dei vantaggi che offre il mare, ed evitarne gli svantaggi costruendo la città sulle rive di un fiume fornito sempre abbondantemente di acqua. In tal modo Roma poté importare non solo dal mare, ma anche dalla terra ciò di cui aveva bisogno. Mi sembra quindi che egli già fin da allora presagisse che questa città sarebbe stata la sede di un grandissimo impero, poiché difficilmente una città costruita in qualsiasi parte d'Italia avrebbe potuto accogliere in sé tale somma di vantaggi e di potenza. Chiunque infatti può rendersi conto che la località è favorita dalla natura; a questo si aggiungono le mura erette sapientemente da Romolo e dagli altri re, lungo il contorno dei monti ad ogni lato ardui e scoscesi, e i grandissimi terrapieni e il fosso larghissimo con i quali fu chiuso l'unico passaggio che i monti lasciavano aperto fra l'Esquilino e il Quirinale. La fortezza del Campidoglio, elevata su una rupe altissima e scoscesa, era così difesa che rimase intatta perfino agli attacchi dei galli. Il luogo scelto da Romolo era anche ricco di acque di sorgente e molto salubre nonostante fosse circondato da paludi pestilenziali; infatti sui colli soffiavano i venti e sulle valli si stendeva l'ombra dei colli stessi a proteggerle dagli eccessivi calori.

Cicerone, *La Repubblica.*

Cicerone

- *Tusci:* altro nome degli etruschi, da cui poi deriva anche il nome della regione *Toscana.*

- *Rive di un fiume:* il Tevere.

- *Presagisse:* dal verbo **presagire**, avere il presentimento, prevedere.

- *Erette:* dal verbo *erigere,* costruire.

- *Contorno:* linea che corre attorno, il limite della città.

- *Ardui e scoscesi:* su cui è difficile arrampicarsi.

- *Terrapieni:* rialzo di terra.

- *Esquilino, Quirinale, Campidoglio:* tre dei sette colli su cui fu costruita Roma (gli altri sono: Celio, Palatino, Aventino, Viminale).

2

il medioevo

Nelle steppe russe, nelle foreste dell'Europa centro-orientale, la vita è durissima e i "barbari" (parola che significava "stranieri") cercano di avere la loro parte di benessere: quindi vengono verso l'impero, ricco ma instabile. Non trovano resistenza ai confini, se non nella parte Orientale governata da Costantinopoli, e usano le grandi strade romane per occupare in pochi decenni Italia, Francia, Spagna e Nord-Africa.

Domina la paura, le città si spopolano, le strade vanno in rovina, i canali si riempiono di terra: sono i "secoli bui", in cui la sola istituzione che resiste è la Chiesa, con i suoi monasteri, con le sue crociate contro l'Islam, con la sua pretesa di essere l'unica che può incoronare imperatori e re. Ma intorno al Mille, dopo che l'arrivo degli Slavi ha posto un riparo alle invasioni dall'Est, rinasce la fiducia e fioriscono i liberi comuni, il primo grande miracolo italiano.

I "barbari"
in Italia

Il trono di Attila a Torcello, Venezia

S. Ambrogio a Milano

I "BARBARI"

Noi diamo alla parola "barbaro" un significato negativo: è vero che ancor oggi "Attila", il nome del re degli Unni che arrivano in Italia nel V secolo, significa "distruttore"; è vero che "vandalo" oggi significa "persona che distrugge senza ragione" – e i Vandali saccheggiarono Roma nel 410 e nel 455, distruggendo quella che fino a un secolo prima era la capitale del mondo – ma è anche vero che i Goti, i Longobardi e i Franchi si innamorarono della cultura romana, si fecero cristiani, e dobbiamo a loro quel poco che si è salvato della cultura e dell'arte classica.

MILANO

La basilica di Sant'Ambrogio a Milano è il simbolo della continuità tra il mondo romano e la rinascita dopo i secoli bui: la Chiesa significò un punto di riferimento di cultura e diritto, nella pianura padana ormai attraversata dalle tribù che cercavano di scendere nella penisola o di andare verso la Francia, la Spagna, l'Africa del Nord.
Milano era una delle quattro capitali dell'Impero decise

da Diocleziano (cfr. p. 13), ma il suo ruolo di primaria importanza in questi secoli difficili fu dovuto soprattutto alla figura di Ambrogio (340-397), che stabilì il nuovo modello di vescovo: non solo "pastore di anime", ma anche il capo politico e economico della chiesa locale e, di conseguenza, il difensore dei cittadini. Il vescovo assume una funzione di leader, sostituendosi alla burocrazia imperiale ormai in declino, e nel giro di pochi secoli si trasformerà in un vescovo-conte, nominato per ragioni politiche più spesso che religiose.

IL REGNO DEGLI OSTROGOTI IN ITALIA

I Visigoti creano un regno in Spagna, i Burgundi in Francia, i Vandali in Nord Africa; l'Italia non è da meno: gli Ostrogoti riunificano l'Italia, con Teodorico il Grande, che impone il suo regno nel 493, scegliendo come capitale Ravenna, che già da un secolo aveva assunto un ruolo fondamentale come porta della pianura Padana sul mare - e quindi sull'impero orientale ancora esistente.

455 Secondo saccheggio di Roma

410 Primo saccheggio di Roma

300 d.c	350 d.c	400 d.c	450 d.c

337 Morte di Costantino il grande

395 Morte di Teodosio I, l'ultimo imperatore che riesce a unificare l'Impero

Nel 391, con Teodosio I imperatore, il Cristianesimo diventa religione di Stato e vengono proibiti tutti i culti pagani.
Nel 527 diventa imperatore d'oriente Giustiniano che realizza una grande riforma dell'amministrazione pubblica e del fisco, ma soprattutto dà forma al diritto romano. Nel 533 una spedizione militare bizantina guidata dal generale Belisario toglie il nord Africa, la Sardegna e la Corsica ai Vandali, ma solo nel 553 riesce a conquistare l'Italia. Qui, tuttavia, il regime bizantino viene sempre sentito come straniero dal popolo e ben presto viene cancellato: prima dall'invasione dei Longobardi e poi dall'arrivo dei Franchi.

L'imperatore Giustiniano

L'imperatrice Teodora

La chiesa bizantina
di San Marco a Venezia

La chiesa bizantina di
San Vitale a Ravenna

Giustiniano, imperatore d'Oriente tra il 527 e il 565,
comprende che deve reagire ai Goti e conduce una
lunga guerra contro di loro.
L'Italia ne esce divisa in tre parti:
a. nel Nord i barbari (i Goti sconfitti vengono sostituiti
   dai Longobardi, come vedremo a p. 20), che poi
   conquisteranno anche buona parte del Sud,
b. una striscia che va da Roma attraverso l'Umbria
   e le Marche fino a Ravenna, capitale della "Romagna",
   diventa uno stato religioso, legato al papa (ancora capo
   spirituale di tutta la cristianità),
c. le isole, la Calabria e la Puglia rimangono bizantine,
   alle dirette dipendenze di Costantinopoli.

LA GRANDE CRISI

Ma l'Italia non è solo divisa: è distrutta.
Decenni di guerra l'hanno ridotta in miseria, le città
sono abbandonate, le strade si rovinano e nessuno le
ripara, i canali che avevano bonificato la pianura
Padana si interrano e si crea un'enorme palude da
Ravenna a Torino…

Sono i cosiddetti
"Secoli bui", anche
se la parola "buio"
è un'eredità degli
storici più che una
realtà. Nel "buio"
emerge un'unica
luce, Ravenna, la
città bizantina – e
inizia a splendere
un'altra città che
dipende da
Ravenna, ma che
comincia a fare una politica autonoma: Venezia (vedi p. 29).
Ravenna è sul mare, unico grande porto della pianura
padana, circondata da paludi che la proteggono dai nemici,
centro di scambio tra l'Europa e l'Impero Orientale;
e anche Venezia (che a quei tempi è ancora l'isola di
Torcello, è circondata da una laguna in cui affiorano
isolette dove si costruiscono chiese e palazzi che ancor
oggi la rendono una città unica al mondo.

476 *Romolo Augustolo, il ragazzo-imperatore d'Occidente, viene deposto*

500 d.c	550 d.c	600 d.c	650 d.c

493-526 *Regno
ostrogoto di Teodorico*

527-565 *Guerra tra Bizantini e Ostrogoti*

- *Barbaro: in greco significava
  "balbuziente" (chi parla male):
  poi fu usato per indicare gli stranieri.*

- *Attila: in gotico (antica lingua
  germanica) significa "piccolo padre"
  e ciò mostra la ben diversa immagine
  che aveva di lui il suo popolo.*

- *Saccheggiarono: dal verbo
  saccheggiare, devastare, distruggere,
  rubando beni e ricchezze.*

- *Pastore di anime: espressione cristiana
  riferita a chi si prende cura dello
  spirito dei fedeli.*

- *Teodorico: (453-526 d.C.) educato
  a Costantinopoli, era eretico ariano
  (vedi p. 20): sul portale del Duomo
  di Verona caccia un cervo che lo
  attirerà all'inferno.*

- *Si interrano: si riempiono di terra.*

In questo mosaico a San
Marco, Venezia, si vede
il "Dux", cioè il Doge, che
per secoli governa Venezia
in nome dell'imperatore
di Bisanzio

Longobardi e
Franchi in Italia

*Gioiello
longobardo*

LA RELIGIONE: UNIONE E DIVISIONE

L'impero del IV secolo è tutto cristiano, ma già iniziano
le divisioni, spesso su sottilissime questioni teologiche la
cui importanza è incomprensibile a noi oggi; tra le varie
eresie ne emerge soprattutto una, quella ariana, che divide
profondamente la cristianità. I barbari che hanno influenza
sulla vita italiana (i Goti) sono diventati cattolici e ciò
attribuisce un grande ruolo al capo della cristianità, il
Papa, che rimane come unica istituzione attiva a Roma.
Nascono in questi anni i monasteri (cfr. p. 22), e il primo
papa monaco, Gregorio Magno (590-604), riesce a
convertire anche gli Angli e i Sassoni che stanno
conquistando il Mare del Nord. La cristianità diventa
un elemento culturale comune in Europa.
Ma dall'Ungheria arrivano i Longobardi: una tribù ariana,
che non vuole convertirsi, e che conquista l'Italia ma che,
proprio per aver attaccato il Papa, provocherà l'invasione
dei Franchi e la fine del regno longobardo.

I LONGOBARDI

Intorno alla metà del VII secolo
l'Impero d'Oriente è troppo
impegnato nelle guerra contro gli
arabi, che dilagano nel Medio oriente
e nel Mediterraneo, e non difende i
confini del nord. Dalla Russia si
muovono dunque gli Slavi, che occupano la valle del
Danubio e i Balcani, esclusa la Grecia.
Lungo la valle del Danubio, in quella che oggi è l'Ungheria,
si erano stanziati i Longobardi, che fuggono verso l'Italia,
dove i Goti sono impegnati contro i bizantini (cfr. p. 18-19)
per cui trovano "aperta" la pianura padana e in pochi anni
la conquistano.
In due secoli riuniscono gran parte dell'Italia: il nord,
con la capitale a Pavia, in Lon(go)bardia, il Centro con
il ducato di Spoleto e il sud con quello di Benevento.
Mancano al regno longobardo solo le due isole, dominate
dai bizantini, e lo stato del Papa, una striscia che va
da Roma a Ravenna lungo le montagne dell'Appennino.

I Longobardi invadono la pianura Padana

732 *Gli arabi sconfitti a Poitiers*

600 d.c	650 d.c	700 d.c	750 d.c

622 *"Egira", Maometto a Medina*

712-744 *Regno di Liutprando,
massimo splendore longobardo*

Nel 622 Maometto fugge da La Mecca per Medina: da quella data inizia
l'Islam, religione monoteista (che adora cioè un solo Dio) che riprende
in maniera autonoma la religione giudaica (Abramo è padre comune di
Ebrei e Arabi) e quella Cristiana (la Madonna e Gesù sono sacri anche
per l'Islam).
In un secolo l'Islam conquista il Medio Oriente, l'Africa del Nord e la
Spagna. Saranno i Franchi ad impedire la conquista della Francia e
del resto d'Europa, vincendo a Poitiers nel 732.

Tomba Islamica

- *Eresie: dottrine religiose
contrarie a ciò che la
Chiesa cattolica considera
vero.*

- *Ariana: eresia proposta da
Ario, un prete che nel IV
secolo contesta la Trinità
(cioè il fatto che Dio, Gesù
e lo Spirito Santo siano
separati ma
contemporaneamente la
stessa entità).*

- *Convertirsi: cambiare
religione.*

Carlo Magno
incoronato a Roma

Corona ferrea donata
da Papa Gregorio Magno
a Teodolinda, regina dei
Longobardi

I FRANCHI IN AIUTO DEL PAPA

I Longobardi alla fine si convertono al cattolicesimo,
con il loro massimo re, Liutprando, costruiscono Chiese,
accettano i monasteri – e proprio con una scusa religiosa
vogliono "liberare" la Romagna (la regione di Ravenna)
dall'influenza dei bizantini, ormai "eretici". Ma in realtà
quelle aree non erano più bizantine ma sempre più legate
al Papa di Roma, e questi si sente attaccato dai Longobardi
per cui chiama in aiuto i Franchi.
Questi erano una popolazione di origine germanica che
all'inizio del VI secolo aveva invaso l'odierna Francia
(che proprio da loro prenderà il suo nome) e cancellato
l'amministrazione romana, creando un regno che aveva
trovato unità nazionale nella lotta contro l'invasione araba,
respinta con la battaglia di Poitiers.
Per i Franchi, prima con Pipino e poi con Carlo Magno,
l'occasione di "aiutare" il Papa è perfetta per conquistare
in pochi anni il Regno longobardo.

IL SACRO ROMANO IMPERO

Carlo Magno, re dei Franchi dal 768, scende a Roma
nell'800 e la notte di Natale si fa incoronare imperatore
di un nuovo impero romano, che aggiunge "sacro" al suo
nome.
L'impero include Francia, Germania e Italia del centro
e del Nord (anche se formalmente lo stato del papa
rimane autonomo), ma non riesce a conquistare Venezia,
autonoma nella sua laguna, senza possedimenti nella
pianura ma sempre più padrona del mare Adriatico.
L'Italia nei due secoli seguenti è una delle tante province
del Regno dei Franchi, che lentamente si scioglie in una
serie di "feudi", cioè aree che dichiarano fedeltà
all'imperatore ma i cui conti, duchi, marchesi o vescovi
sono di fatto autonomi.
Rimane all'Impero d'Oriente l'estremo Sud, mentre la
Sicilia e le coste della Sardegna sono occupate dagli Arabi.

800 Carlo Magno incoronato a Roma

800 d.c	850 d.c	900 d.c

814 Venezia elegge il primo "doge"

871 Alfredo il Grande unifica
l'Inghilterra sassone

774 Carlo Magno conquista
il regno longobardo

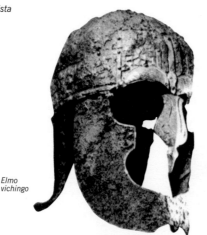
Elmo
vichingo

Il Mare del Nord è in piena rinascita in questi secoli, e sono
soprattutto i Vichinghi a dominarlo – giungendo fino a toccare
la Groenlandia e l'America.
In questi secoli nascono i regni svedesi, norvegesi e danesi.
Questi "uomini del Nord" occupano anche una parte della Francia e,
con Juti, Angli e Sassoni, eliminano i romani dalla Britannia: il mondo
che circonda il Mare del Nord assume intorno al Mille la struttura che
ancor oggi vi troviamo.

L'Italia dei monasteri

Come abbiamo visto (p. 20), in questi secoli la Chiesa è l'unica istituzione costante, sebbene divisa da eresie.

Due abbazie antiche

LA CHIESA SI IDENTIFICA CON IL PAPA

Nei primi secoli non esiste un vero capo della Chiesa, anche se alcuni vescovi sono più prestigiosi di altri.
È con papa Leone I (440-461) che il vescovo di Roma viene riconosciuto come il più importante sia sul piano religioso (anche se è a Bisanzio che nascono e si combattono le eresie) sia su quello politico: è Papa Leone I che ferma gli Unni che minacciano di scendere nella penisola, è Papa Gregorio Magno (590-604) che riesce a convincere i "normanni", gli uomini del Nord (cfr. p. 21), a farsi cristiani, è Papa Stefano II (752-757) che si stacca dall'Impero d'Oriente e si affida alla protezione dei Franchi contro i Longobardi.
La Chiesa è protetta nel suo stato, che va da Roma verso nord, lungo l'Appennino, fino alla Romagna, cioè la zona tra Ravenna e Ancona. E in questo contesto la Chiesa vede la nascita di un fenomeno importantissimo per la cultura italiana (ed europea): il monachesimo.

LA NASCITA DEI MONASTERI

Abbiamo messo come prima data della linea del tempo il 529, anno in cui San Benedetto (da Norcia, in Umbria) fonda il monastero di Montecassino, unendo due tradizioni:
a. quella monastica, che si diffondeva dall'Oriente verso l'Europa: semplicità di vita, rifiuto della ricchezza individuale, castità
b. quella delle legioni romane: disciplina, totale obbedienza alla gerarchia, lavoro manuale.

I monasteri si diffondono in tutta l'Italia e l'Europa: lì si conserva la conoscenza del latino, si ricopiano i classici, nascono le nuove forme musicali – comincia, in altre parole, a rinascere la cultura che porterà ai secoli luminosi del Medioevo, dopo quell'anno Mille che tanto aveva terrorizzato le popolazioni timorose della fine del mondo.

San Benedetto

590-604 *Papato di Gregorio Magno*

500 d.c	600 d.c	700 d.c	800 d.c

529 *San Benedetto fonda l'abbazia di Montecassino*

743 *La regola benedettina viene imposta dai Re Franchi*

Buddha, l'illuminato, vive in India intorno al 500 a.C., ma la sua "religione" (meglio sarebbe chiamarla "filosofia") non trova grande diffusione finché essa diviene popolare in Tibet e in Cina. La Cina vive secoli di divisione, di dinastie che si seguono rapidamente, costretta a guerre e alleanze con Tibetani a sud e Mongoli a nord. Un momento di stabilità si ha con la dinastia Song (960-1279), ed in questo clima il buddismo si diffonde nell'immenso impero.

Antico Budda

- *Monachesimo: il fenomeno della diffusione dei "monaci", frati che si raccolgono in un monastero per una vita di preghiera e predicazione.*

- *Castità: una vita in cui si rinuncia ai rapporti sessuali.*

- *Anno Mille: secondo una credenza popolare, la fine del mondo doveva arrivare con l'anno Mille.*

San Francesco

Il battesimo di Gesù in
un bassorilievo medievale

GLI ORDINI MENDICANTI

Papa Gregorio Magno è un monaco
benedettino e ciò dà forte impulso
ai monasteri. Due secoli dopo, Carlo Magno
organizza il Sacro Romano Impero dando ai monasteri
l'autonomia dai grandi signori dei feudi: i monasteri
diventano dunque dei centri di potere.
Il primo tentativo di riforma per tornare alle radici di
umiltà e povertà avviene con gruppi di abbazie sparse
in tutta Europa che si richiamano a un'abbazia modello,
ad esempio quella di Cluny o di Camaldoli; nascono
così dei movimenti che cercano di riportare allo spirito
originario di preghiera e lavoro.
Ma la vera reazione contro il potere dei monasteri "ricchi"
viene dai frati predicatori Domenicani (fondati nel 1216)
e soprattutto i frati mendicanti, come i Francescani e le
suore Clarisse, fondati in Umbria nei primi anni del XIII
secolo da San Francesco e Santa Chiara.
Sono i monasteri che danno aiuto ai poveri, ospitano i
pellegrini che vengono in pellegrinaggio a Roma o che
vogliono andare in Palestina – e sono i monasteri che
investono fondi e lavoro nella costruzione di gigantesche
"case di Dio", le abbazie che unificano architettonicamente
l'Europa.

1000 Anno di grande terrore

1226 Muore San Francesco

| 900 d.c | 1000 d.c | 1100 d.c | 1200 d.c | 1300 d.c |

910 Fondazione
dell'abbazia di Cluny

1113 Nascono i monaci militari
per difendere il Santo Sepolcro

1216 Nascono i Domenicani

* *Feudo: una regione, una parte di un
impero, affidato a un feudatario (un
marchese, un duca, un conte...) che
lo gestisce come proprietà personale,
in nome dell'imperatore,
al quale tuttavia deve obbedienza.*

* *Abbazia: insieme costituito da una
chiesa e un convento, dove i monaci
lavorano e studiano.*

* *Frate e suora: derivano dalle parole
latine che significano "fratello" e
"sorella": tali infatti si considerano
i monaci.*

Pagoda di Honyuyi

Nei primi secoli dell'era cristiana il Giappone, povero e montuoso,
vede nascere la forza dello Yamatai, un Regno che dal centro si spinge
lentamente verso tutte le isole e in parte anche in Corea. Nel 538
viene introdotto il buddismo ed i monaci (che spesso vivono a lungo
nella vicina e potente Cina) conquistano un forte ruolo politico, oltre
a consentire la nascita e soprattutto la diffusione di una stupenda
letteratura.

L'Italia dei Comuni

Matilde di Canossa e Enrico IV

Palazzo Comunale di Orvieto

Mentre in Inghilterra e Francia nascono gli stati nazionali, Italia e Spagna rimangono fortemente divise.

LE TRE ITALIE

L'Italia del primo secolo del nuovo millennio è essenzialmente divisa in tre:

a. al nord e al centro le città si sviluppano autonomamente, spesso in competizione se non in guerra tra di loro: sono i Comuni, contro i quali combatteranno a lungo gli imperatori tedeschi eredi del Sacro Romano Impero fondato da Carlo Magno;

b. al sud (come vedremo a pp. 25-27) gli Arabi vengono cacciati dalla Sicilia ma arrivano altri stranieri – i Normanni dalla Francia, gli Svevi dalla Germania, gli Aragonesi dalla Spagna. La mancanza di autonomie comunali mette le basi per quella differenza tra nord e sud che sopravvive ancora mille anni dopo;

c. tra i due blocchi troviamo lo Stato del Papa, che separa come un muro le due Italie – e che mostra una continua preferenza per i conservatori del sud piuttosto che per gli innovatori del nord. Il papato ha un forte ruolo politico sia attraverso i monasteri, come abbiamo visto, sia con le crociate, cioè le guerre contro l'Islam.

I COMUNI

Mentre i massimi sistemi politici (papato, impero, nuovi regni nazionali) si combattono, nel vuoto di potere dell'Italia del centro-nord le città crescono, nasce una borghesia (abitanti dei "borghi") di produttori (soprattutto tessuti e oggetti metallici, ma anche gioielli, oggetti d'arte) e di mercanti, che si affiancano ai proprietari terrieri, cioè alle vecchie famiglie aristocratiche.

Le città si circondano di mura per difendersi dai comuni vicini, e lentamente in ogni regione emergono alcuni comuni che prendono l'egemonia, spesso dopo lunghe lotte (quella tra Firenze e Siena è la più epica di tutte).

I commerci si allargano anche ad opera delle crociate (spedizioni comuni dei vari regni europei per colpire l'Islam nel Medio Oriente) e si rivolgono sia all'Europa (facendo la ricchezza di Milano e Firenze) sia verso l'Oriente, lungo le coste dominate da Venezia.

L'autonomia politica e l'attività artistica dei comuni italiani, dai più piccoli ai più potenti, non ha nulla di simile in Europa e può essere affiancata solo alle polis greche del periodo d'oro (vedi p. 8).

1066 *I Normanni francesi conquistano l'Inghilterra*

1096 *Prima crociata contro i musulmani*

1040 d.c	1060 d.c	1080 d.c	1100 d.c	1120 d.c

1054 *Separazione tra la chiesa ortodossa di Bisanzio e quella cattolica di Roma*

1076 *Enrico IV si piega al Papa a Canossa*

Nel 1055 i **Turchi** conquistano Bagdad e nei vent'anni successivi anche l'Armenia, la Siria, la Palestina e parte dell'Anatolia, mettendo le basi dell'Impero Ottomano, che durerà fino alla Prima Guerra Mondiale (1918). Nello stesso secolo i **musulmani** iniziano la conquista dell'India. Nel 1066 Guglielmo di Normandia conquista l'Inghilterra.

Il tappeto di Beyeux mostra i Normanni alla conquista dell'Inghilterra

- *Appoggia: dal verbo **appoggiare**, qui usato nel senso di sostenere, supportare.*
- *Laica: non appartenente alla gerarchia della Chiesa.*

I COMUNI TRA PAPATO E IMPERO

All'inizio del millennio i rapporti sono molto tesi: nel 1076 Papa Gregorio VII arriva perfino a scomunicare, cioè a espellere dalla comunità cristiana, l'imperatore Enrico IV, che l'anno successivo deve inginocchiarsi di fronte al Papa dopo aver atteso per giorni, nella neve, di fronte al castello di Matilde di Canossa dove il Papa è ospite.

In generale il papato appoggia i comuni nel tentativo di impedire all'impero di intervenire troppo pesantemente sulla nomina dei vescovi-conti. Ma mano a mano che nasce una sorta di democrazia, questi vescovi perdono il potere che hanno avuto negli ultimi secoli; la nuova politica dei borghesi è spesso laica, non particolarmente religiosa, per cui in realtà la Chiesa non è molto dispiaciuta quando gli imperatori del Sacro Romano Impero cominciano a cercare di ridurre l'autonomia dei comuni. Ma quando si rende conto che l'imperatore vuole avere un reale potere in Italia, la Chiesa riprende subito interesse nei comuni, soprattutto in quelli che le sono fedeli (i comuni "guelfi")...

L'IMPERO CONTRO I COMUNI

Nel 1152 Federico I (il "Barbarossa") diviene imperatore, ruolo che terrà fino alla fine del secolo. Il nuovo imperatore cerca di riprendere in mano la politica italiana: i comuni – e i borghesi al loro interno – si dividono tra Guelfi (favorevoli al Papa) e Ghibellini (favorevoli all'Imperatore).

Per cinque volte Federico Barbarossa invade l'Italia del centro Nord e nel 1167 i comuni del nord-ovest creano la Lega Lombarda, che nel 1176 a Legnano, vicino a Milano, sconfigge l'esercito del Barbarossa. Ma questi non si rassegna: nel 1984 torna a Milano e nomina il figlio Enrico VI re d'Italia, provocando la reazione del Papa.

Negli anni recenti un movimento autonomista ha ripreso molti di questi simboli: si chiama "Lega", si riunisce a Pontida, dove nacque la lega lombarda, usa come simbolo il "carroccio", un carro trainato da buoi con i simboli dei liberi comuni.

1167 Nasce a Pontida la Lega Lombarda

1186 Federico a Milano nomina suo figlio Enrico re d'Italia

| 1140 d.c | 1160 d.c | 1180 d.c | 1200 d.c |

1152 Federico I "Barbarossa" è eletto imperatore

1176 La Lega sconfigge Federico Barbarossa

Nel 1171, **Enrico II d'Inghilterra** conquista l'Irlanda che riuscirà a riguadagnare l'indipendenza solo nel XX secolo. Intorno all'VIII secolo gli **Slavi**, che prima avevano spinto i Longobardi verso l'Italia, sono oramai stabili in Europa orientale.

Il cuore di queste popolazioni è Kiev, dove intorno all'anno Mille il regno "russo" raggiunge il massimo splendore con Vladimiro (sposato con la figlia dell'imperatore d'Oriente) e con Iaroslav che ottiene per Kiev il ruolo religioso di "metropoli".

Nel 1054 la chiesa ortodossa (cioè "fedele") di Bisanzio si separa da quella di Roma: la Russia segue l'ortodossia e in questo modo si stacca da molti degli eventi dell'Europa centro-occidentale.

La cattedrale di Kiev

I Normanni, gli Svevi, gli Angiò, gli Aragonesi

IL SUD IN MANO AGLI STRANIERI

Mentre nel nord i comuni riprendono, per quanto
possibile, la gestione della propria esistenza, il sud è –
e resterà per molti secoli – in mano agli stranieri.
Nel Mille troviamo i bizantini nell'estremo sud della
penisola, gli Arabi in Sicilia e in Sardegna.
Ma nel 1027 l'imperatore, nella sua lotta di predominio
contro il papato, assegna a vari nobili normanni dei feudi
in Sicilia, Calabria e Puglia: nel 1071 i bizantini perdono la
Puglia, nel 1072 gli Arabi perdono Palermo.

I NORMANNI NEL SUD

Dopo pochi anni, nel 1130, attraverso guerre da un lato e
politiche matrimoniali dall'altro, l'intero sud si unisce sotto
la corona di Ruggero II, che stabilisce la capitale a Palermo
ma conquista anche Napoli e una città abbastanza vicino
a Roma, Gaeta.
In questi anni l'architettura gotica che fioriva in Francia
arriva subito in Sicilia (si veda la foto del Duomo di
Monreale, vicino a Palermo), e anche la poesia dei
"trovatori" arriva dal nord. La prima letteratura italiana
nasce proprio in Sicilia, qualche decennio dopo, in seguito
ai contatti continui tra quest'isola e la Francia.

Crociati

Castel del Monte in Puglia,
costruito da Federico II

1072 Gli Arabi perdono Palermo

1060 d.c	1080 d.c	1100 d.c	1120 d.c	1140 d.c	1160 d.c

1071 I Bizantini perdono la Puglia

1130 Ruggero II crea il regno
normanno

La grande espansione islamica dei secoli precedenti è finita; i regni
spagnoli cominciano ad unirsi contro gli "infedeli"; in Palestina ci sono
le guerre di invasione europee – l'Europa sempre divisa che si unisce
per l'occasione! – delle crociate. A questo punto l'Islam rinuncia
all'Europa, sceglie come suo centro l'Egitto anziché l'Arabia e si rivolge
all'Asia, ma deve subire l'offensiva dei Mongoli, che dalla Siberia e dalla
Cina giungono fino a Bagdad! Tuttavia sono anni di grande splendore,
che culminano con la creazione dell'università di Fez, in Marocco.

Gerusalemme, Moschea d'oro

- *Assegna: dà, concede, attribuisce.*

- *Scomunicato: dal verbo **scomunicare**, da cui anche il nome scomunica, la pena inflitta dal Papa per gravi azioni contro la religione (eresie).*

- *Decapitato: dal verbo **decapitare**, tagliare la testa, il capo.*

- *Minoranza catalana: il catalano è parlato soprattutto intorno a Barcellona e in certe zone della Francia del sud (Roussillon), oltre che ad Alghero, in Sardegna.*

- *Si estingue: finisce.*

*Il Castello Angioino
a Napoli*

Il Duomo di Monreale

l'imperatore finisce scomunicato, con il figlio Enzo
prigioniero del comune di Bologna fino alla morte, il figlio
Corrado imperatore fragile per 4 anni, il figlio Manfredi –
il più intelligente, il vero erede – sconfitto dagli Angiò.

GLI ANGIÒ E GLI ARAGONESI

Nel 1266 gli Angiò sconfiggono Manfredi, che Dante
ricorda così: "bello era, e biondo, e di gentile aspetto" –
ma che per Dante e per gli altri che non volevano un'Italia
dominata dal Papa aveva rappresentato l'ultima speranza.
Il fratello di Manfredi, Corradino, un ragazzo di 15 anni,
è decapitato in piazza a Napoli: finisce il dominio tedesco,
inizia quello francese.
Gli angioini, della famiglia reale francese, cercano di
cambiare la politica dell'Italia meridionale, che per secoli
era stata legata alla Germania. Nel 1282 i siciliani si
ribellano contro gli Angiò, guidati da Pietro d'Aragona;
pochi anni dopo, gli aragonesi restituiscono la Sicilia agli
Angiò ma ottengono la Sardegna (dove ancor oggi c'è
una minoranza catalana) e la Corsica; nel 1343, anche la
dinastia napoletana degli Angiò si estingue, e gli aragonesi
hanno via libera nel Sud.

GLI SVEVI

Nel 1190 Enrico VI, il figlio di Federico Barbarossa che
era stato nominato re d'Italia, si sposa con Costanza, figlia
di Ruggero II, e pretende anche il regno di Sicilia. Dopo
una lunga guerra uccide il normanno Tancredi, e riesce ad
unire le corone, con l'approvazione del Papa che chiede
di poter educare il figlio di Enrico e Costanza, Federico II.
Questo re fa del sud d'Italia la zona più internazionale
d'Europa, costruisce cattedrali e castelli, tiene una corte
colta e vivissima, crea l'università di Napoli nel 1224,
favorisce le crociate (che portano ricchezza alle regioni
del Sud, ultimo ponte europeo nel Mediterraneo), nel 1228
si accorda con il Sultano e "conquista" Gerusalemme, invia
suo figlio a mettere ordine in Germania… Ma la situazione
è troppo complessa: il sud d'Italia e la Germania sono
divise dall'Italia papale e da quella comunale, e alla fine

1204 *La quarta crociata: Costantinopoli
saccheggiata dagli europei*

1282 *I siciliani si ribellano
contro gli Angiò*

| 1180 d.c | 1200 d.c | 1220 d.c | 1240 d.c | 1260 d.c | 1280 d.c | 1300 d.c |

1190 *Gli Svevi
ereditano il Sud*

1220-50 *Regno di Federico II*

1266 *Gli Angiò sconfiggono
Manfredi di Svevia*

A questo punto l'Islam si orienta verso l'Asia meridionale, e conquista
la Persia, la valle dell'Indo (l'attuale Pakistan) e il nord dell'India, dove
all'inizio del 1200 nasce il sultanato di Dehli, dando origine a una forma
d'arte indo-islamica di enorme valore.
La nuova religione, che desidera convertire chi non crede, entra in
contrasto con le più pacifiche religioni hindi e buddista, creando
tensioni che durano ancor oggi.

*Tempio d'Oro,
Amritsar, India*

Le Repubbliche Marinare

Alla fine dell'Impero Occidentale, nel V secolo, le città delle pianure e delle montagne entrano in una crisi che dura per alcuni secoli, mentre alcune città della costa riescono a restare in collegamento con l'Impero orientale e con il mondo islamico che si sta affermando. Sono le repubbliche marinare.

Pisa

Genova

Amalfi

GENOVA E PISA

Genova, occupata prima dai Longobardi e poi dai francesi di Carlo Magno, si affida a un vescovo-conte, che la spinge ad impegnarsi contro i musulmani – e questo porta ricchezze e prestigio. E soprattutto le porta la possibilità di aprire un quartiere genovese a Costantinopoli.
Nel 1016 Genova aveva conquistato la Corsica e la Sardegna, ma il dominio viene contestato da un'altra repubblica marinara dell'alto Tirreno, Pisa.
Pisa, che si difende dai senesi e dai fiorentini, si impegna molto nei commerci sia con la Spagna sia con l'Oriente, ma viene sconfitta dai genovesi nel 1284, per cui finisce sotto l'influenza di Firenze.

AMALFI

È la principale delle repubbliche del sud, dove altre città (Napoli, Gaeta, Bari) commerciano con tutto il Mediterraneo.
Il suo ruolo è fondamentale sia sul piano scientifico (si pensi all'invenzione della bussola) sia su quello giuridico, visto che proprio ad Amalfi si raggiunge una sorta di accordo Mediterraneo sul diritto marittimo.
Ma questo prestigio non le impedisce di essere sconfitta da Pisa nel 1135 – distruzione da cui non riuscirà a riprendersi, anche perché i Normanni e gli Svevi non sono interessati al commercio marittimo.

800 d.c	850 d.c	900 d.c	950 d.c	1000 d.c	1050 d.c

814 Elezione del primo doge di Venezia

1016 Genova conquista la Corsica e la Sardegna

Tra il 1272 e il 1295 il veneziano Marco Polo – modello del mercante veneziano - segue la via della seta fino alla Cina, alla corte di Gengis Kan, il grande imperatore mongolo. Tornato in Europa, prigioniero a Genova, racconta le meraviglie di un impero che va dalla Turchia alla Persia, dalla Cina all'Ucraina, con tentativi di conquista di città come Kiev, Mosca e Budapest.
In Europa i mongoli sono ritenuti "barbari", ma si tratta di una popolazione civile, molto attenta alla lealtà personale, che crea espressioni letterarie e artistiche di primaria importanza.

Marco Polo

- *Bussola: strumento con un ago calamitato (cioè in grado di attirare il ferro) che indica sempre il nord. I primi a parlarne furono i cinesi già nel II secolo d.C. Attraverso gli arabi, la scoperta arrivò agli europei.*

- *Giuridico: che riguarda il diritto, la legge.*

- *Mare veneziano: il "dialetto" veneziano veniva usato in tutto il Mediterraneo come lingua franca, svolgeva, insomma, un ruolo simile a quello svolto oggi dall'inglese.*

- *La più popolosa: nel 1300 la popolazione era di circa 130.000 abitanti, che divennero più di 150.000 nel Quattrocento e Cinquecento. Venezia era un vero e proprio, melting pot, come si direbbe oggi, in cui vivevano italiani, tedeschi, ebrei, arabi, turchi, ecc.*

Il Palazzo Ducale di Venezia visto da Canaletto

Il Doge di Venezia

VENEZIA

La linea del tempo in questa pagina parte con l'814, data dell'elezione del primo Doge di Venezia, e si chiude con il 1381, data della vittoria di Venezia su Genova. Per secoli il Mediterraneo, soprattutto verso l'Oriente, è un mare veneziano – anche se questa repubblica non vuole conquistare territori, ma si limita ad una grande quantità di città costiere dove potersi rifugiare con le sue navi mercantili.

La Serenissima Repubblica di Venezia – la più lunga della storia dell'umanità – è un capolavoro di impostazione giuridica: il doge è eletto a vita, guida la strategia della repubblica, ma non governa; il governo è nelle mani di un ristretto gruppo di magistrati che durano in carica un anno e non possono essere rieletti l'anno successivo, per cui non possono creare un sistema di potere personale; doge e governo devono rispondere al Maggior Consiglio, un senato composto dagli aristocratici ma anche dai ricchi mercanti. In questo modo la Serenissima diviene non solo la più popolosa e ricca città d'Europa, ma anche un luogo libero dai condizionamenti papali e imperiali e lontano dalle liti tra i comuni della pianura e della Toscana.

1116 Pisa conquista la Sardegna

1135 Amalfi sconfitta da Pisa

1100 d.c	1150 d.c	1200 d.c	1250 d.c	1300 d.c	1350 d.c	1400 d.c

1096 La prima crociata è la grande occasione di Genova in Oriente

1204 La quarta crociata corona la presenza veneziana in Oriente

1284 Pisa sconfitta dai genovesi

1381 Genova sconfitta da Venezia

Nell'850 i Nahua scendono dal nord verso il cuore del Messico e provocano, di riflesso, la caduta della civiltà Maya nello Yucatan, la penisola caraibica del centro America. Due secoli dopo arriva una tribù nomade, quella degli Aztechi, che conquista l'impero con la sua dinastia Mexica.

Costruttori di piramidi, raffinati storici con una scrittura che ricorda quella degli egizi, abili gioiellieri, diverranno facile preda degli europei subito dopo la scoperta dell'America da parte di Colombo, e verranno ricordati più per i sacrifici umani (non più crudeli delle guerre che da millenni caratterizzavano il Mediterraneo) che per le scoperte scientifiche ed ecologiche che essi hanno consegnato al mondo.

Coltivazioni azteche su un lago.

Il Paesaggio dell'Italia medievale

Negli affreschi del Medioevo – da Giotto a Martini – il paesaggio è stilizzato, ridotto al minimo: rocce, qualche albero, ma nulla di realistico; sono più vere le immagini che ci danno delle città: chiuse tra alte mura, piene di torri, cioè palazzi fortificati che, come i grattacieli oggi, cercano in altezza lo spazio che manca in superficie. Nella foto, scattata in questi anni, puoi vedere un paesaggio forse non molto diverso da quello che vedevano mille anni fa i monaci di Sant'Antimo, nel sud della Toscana. Soprattutto nell'Italia centrale, infatti, molte abbazie sono rimaste circondate da campi e boschi, per cui chi le visita si trova a vedere ancora un paesaggio come quello di mille anni fa.

Città medievale in un affresco di Simone Martini

L'abbazia di Sant'Antimo, in Toscana

Facciamo il punto

Metti in ordine di tempo i seguenti avvenimenti

1. La vera reazione contro il potere dei monasteri "ricchi" viene dai frati predicatori Domenicani e soprattutto dai frati mendicanti, come i Francescani e le suore Clarisse.

2. L'imperatore, nella sua lotta di predominio contro il papato, assegna a vari nobili normanni dei feudi in Sicilia, Calabria e Puglia.

3. Nel "buio" emerge un'unica luce, Ravenna, la città bizantina – e inizia a splendere un'altra città che dipende da Ravenna, ma che comincia a fare una politica autonoma: Venezia.

4. Gli angioini, della famiglia reale francese, cercano di cambiare la politica dell'Italia meridionale, che per secoli era stata legata alla Germania.

5. Per i Franchi, prima con Pipino e poi con Carlo Magno, l'occasione di "aiutare" il Papa è perfetta per conquistare in pochi anni il Regno longobardo.

6. Genova aveva conquistato la Corsica e la Sardegna, ma il dominio viene contestato da un'altra repubblica marinara dell'alto Tirreno, Pisa.

7. Milano era una delle quattro capitali dell'Impero decise da Diocleziano, ma il suo ruolo di primaria importanza in questi secoli difficili fu dovuto soprattutto alla figura di Ambrogio.

8. La Serenissima Repubblica di Venezia è un capolavoro di impostazione giuridica.

9. L'intero sud si unisce sotto la corona di Ruggero II, che stabilisce la capitale a Palermo.

10. Gli Ostrogoti riunificano l'Italia, con Teodorico il Grande.

11. Nel vuoto di potere dell'Italia del centro-nord le città crescono, nasce una borghesia di produttori e di mercanti, che si affiancano ai proprietari terrieri.

12. Papa Gregorio VII arriva a scomunicare l'imperatore Enrico IV.

13. Dall'Ungheria arrivano i Longobardi.

14. La Chiesa riprende interesse nei comuni, soprattutto in quelli che le sono fedeli.

15. Federico I (il "Barbarossa") diviene imperatore.

16. Tra le varie eresie ne emerge soprattutto una, quella ariana, che divide profondamente la cristianità.

17. I Vandali saccheggiarono Roma.

18. San Benedetto da Norcia fonda il monastero di Montecassino.

19. È con papa Leone I che il vescovo di Roma viene riconosciuto come il più importante sia sul piano religioso sia su quello politico.

20. L'Italia nei due secoli seguenti è una delle tante province del Regno dei Franchi, che lentamente si scioglie in una serie di "feudi".

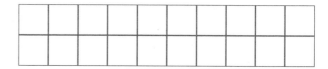

La parola agli storici

CARLO MAGNO

Fu largo e robusto di corporatura, di statura alta. Aveva occhi molto grandi e vivaci con una bella chioma bianca e un volto piacevole e gioviale, da cui il suo aspetto acquistava molto in autorità e imponenza. Si teneva assiduamente in esercizio cavalcando e cacciando. Gli piacevano anche i bagni di vapore delle acque termali, e si teneva in esercizio il fisico con frequenti nuotate. Si vestiva all'uso suo nazionale. Sul corpo portava una camicia di lino e biancheria di lino, sopra una tunica che era orlata di una fascia di seta, e calzoni. D'inverno indossava sempre un mantello azzurro. Alcune volte portava una spada ornata di gemme, ma questo soltanto nelle principali festività.

Era moderato nel mangiare e nel bere, ma più moderato nel bere. La cena di ogni giorno era solo di quattro portate. Mentre cenava stava ad ascoltare qualche artista o lettore. Gli venivano lette le storie e le gesta degli antichi. Gli piacevano anche i libri di Sant'Agostino. Era anche ricco nel parlare, e riusciva ad esprimere molto chiaramente ciò che voleva. E non contentandosi della sua lingua natale, si diede da fare per imparare anche lingue straniere, fra le quali apprese così bene la latina, che era solito parlare indifferentemente tanto in questa che nella sua lingua patria. Riusciva più a capire che pronunciare la lingua greca.

Da Eginardo, *Vita di Carlo Magno*, a cura di G. Bianchi.

LA VITA NEI MONASTERI

È appena suonata mezzanotte. Nella penombra piena di preghiera alcuni uomini si dirigono verso il coro della chiesa, camminando silenziosamente con le loro pantofole. La lunga giornata del monaco è appena cominciata. È impossibile stabilire l'uso del tempo di un religioso. Ci accontenteremo di dare un orario valido per l'ordine cluniacense.

Verso mezzanotte e mezzo	Vigilia
Verso le 2.30	Riposo
Verso le 4.00	Mattutino (lodi)
Verso le 4.30	Riposo
Verso le 5.45	Levata definitiva, toletta
Verso le 6.00	Preghiera (prima). Capitolo (riunione)
Verso le 6.30	a) parte liturgica (preghiere, lettura del Vangelo e commento dell'abate, ecc.); b) parte amministrativa; c) parte disciplinare
Verso le 7.30	Messa di tutta la comunità
Dalle 8.15 alle 9	Messe private
Dalle 9.00 alle 10.30	Preghiera (terza) e messa conventuale
Dalle 10.45 alle 11.30	Lavoro
Verso le 11.30	Preghiera (sesta)
Verso le 12.00	Pasto
Dalle 12.45 alle 13.45	Riposo pomeridiano
Dalle 14.00 alle 14.30	Preghiera (nona)
Dalle 14.30 alle 16.15	Lavoro nel giardino o allo scriptorium
Dalle 16.30 alle 17.15	Vespri
Dalle 17.30 alle 17.50	Pasto leggero
Verso le 18.00	Compieta (ultima ora di preghiera quotidiana)
Verso le 18.45	Riposo

Adattato da Léo Moulin, *La vita quotidiana dei monaci nel Medioevo*

- *Orlata: aveva il bordo.*
- *Cena: era il pasto principale della giornata e aveva luogo intorno alla metà del pomeriggio.*
- *Portate: i diversi piatti di cui è composto un pasto.*
- *Ricco: aveva una lingua bella, ben costruita, sapeva parlare bene.*
- *Cluniacense: dell'Abbazia di Cluny, in Francia.*
- *Vigilia: veglia, periodo in cui non si dorme.*
- *Levata: l'alzarsi definitivo dal letto.*
- *Vespri: preghiere serali.*

3
dal medioevo
al rinascimento

Con il Mille, come hai visto nel capitolo 2, inizia la rinascita dell'Europa e dell'Italia, ma è nel Trecento e nel Quattrocento che la rinascita prende corpo e forza, per fiorire in pieno nel Cinquecento.
I due secoli che ti raccontiamo in questo capitolo sono secoli di guerre tra città e dentro le città, finché lentamente non si trova un momento di equilibrio negli anni in cui Lorenzo dei Medici, detto il Magnifico, domina Firenze e da lì riesce a guidare l'intera politica italiana. Ma il 1492, anno della morte del Magnifico e della scoperta dell'America, segna simbolicamente l'inizio della decadenza italiana, anche se passerà tutto il secolo d'Oro, il Cinquecento, prima che la crisi diventi evidente.

Ghibellini e Guelfi, Bianchi e Neri, Arti Maggiori e Minori

GUELFI E GHIBELLINI

Il Papa è lontano – Roma o Avignone non importa: con i mezzi del Trecento, sono giorni e giorni; anche gli Imperatori tedeschi sono lontani, e l'Impero è spezzato da lotte interne. Quindi né impero né papato fanno paura eppure i comuni, al loro interno, si dividono spesso in due partiti opposti, i guelfi favorevoli al papato, i ghibellini favorevoli all'impero.

Alla metà del Trecento Firenze ha circa 80.000 abitanti, dei quali solo il 3-4% che può essere eletto alle cariche pubbliche: per cui le lotte sono essenzialmente per il potere locale, non per ideali politici.

E anche se una città era tutta per l'impero o tutta per il papato, le lotte non mancavano: basta pensare a Bianchi e Neri a Firenze.

BIANCHI E NERI, ARTI MINORI E ARTI MAGGIORI

Nel Trecento Firenze è tutta Guelfa, ma non c'è pace. Al suo interno è divisa tra Guelfi Bianchi, rappresentanti delle "arti minori" e dei professionisti, e Guelfi Neri, molto più legati alla Chiesa e rappresentanti delle Arti maggiori, legate soprattutto alla finanza.

Nel 1300 Dante (1265-1321), di parte Bianca, è eletto priore e insieme ai colleghi di governo decide di essere "sopra le parti" e di bandire i capi Bianchi e Neri (tra cui il suo amico Guido Cavalcanti (1255-1300), uno dei grandi poeti del Trecento). Dante va dunque dal Papa come ambasciatore, ma mentre è a Roma i Neri, con l'appoggio di Papa Bonifacio VIII, riprendono il potere, e Dante è condannato all'esilio (e si vendica condannando Bonifacio VIII all'inferno!)

Di fronte a situazioni di lotte interne insanabili, che impediscono il governo, e alle piccole guerre con i vicini, molti comuni chiamano dei *podestà* esterni, cioè dei professionisti della politica, e le guerre vengono affidate a condottieri e a soldati di ventura, professionisti della vita militare, pronti a servire il comune che paga di più.

1343 *Muore Roberto d'Angiò, re di Napoli: il Sud in crisi dinastica*

1300 d.c	1310 d.c	1320 d.c	1330 d.c	1340 d.c

1300 *Papa Bonifacio VIII indice il primo Giubileo*

1309 *Papa Clemente V lascia Roma per Avignone*

Dalla seconda metà del Trecento in poi trovi in ogni parte d'Europa figure simili a questa: la morte – in piedi, a cavallo, dal cielo – che con la sua falce uccide poveri e ricchi, preti e laici, soldati e borghesi: è la prima grande peste europea, la "morte nera".

La causa era l'estrema sporcizia delle città, che più crescevano più erano sommerse di rifiuti di ogni tipo: non c'erano fognature, lavare lenzuola e vestiti era sempre più difficile perché le fonti d'acqua erano le stesse di quando le città erano solo villaggi, i pellegrinaggi e gli eserciti che attraversavano l'Europa e l'Oriente trasportavano il contagio.

Una raffigurazione della peste

- *Priore: il rappresentante di una corporazione (una specie di sindacato medievale) eletto a far parte del governo della città.*
- *Bandire: esiliare, mandare in esilio (allontanamento forzato dalla propria patria).*
- *Condottieri e soldati di ventura: mercenari che combattono solo per denaro.*
- *Carestie: mancanza o grande scarsità di cose necessarie per vivere, soprattutto cibo.*

S. Caterina da Siena

Simone Martini: Il Condottiero a cavallo

LE RIVOLTE POPOLARI

La storia di Dante che abbiamo visto sopra è famosa, ma in ogni comune ce ne sono di simili, non raccontate perché riguardano personaggi minori.

Queste divisioni in "fazioni" contrapposte rendono la vita incerta, difficile, spesso violenta. Se a questo aggiungiamo che il primo Trecento fu un secolo molto piovoso, che quindi creò carestie, e che quando cessarono le piogge arrivò la peste, che uccise metà della popolazione europea, per cui il grano prodotto non si vendeva più e il prezzo scendeva anche del 60%… diventa facile capire le rivolte contadine (soprattutto in Francia e Inghilterra, ma anche in Italia) e anche quelle delle "arti minori", dei piccolo borghesi. La rivolta più famosa è del 1378, a Firenze, detta "Tumulto dei Ciompi", dal nome degli operai della lana.

IL PAPA AD AVIGNONE

La politica europea ha grandi influssi sul Trecento italiano; da un lato, i re di Francia e Inghilterra non restituiscono i fondi ai banchieri fiorentini producendo fallimenti che mettono in crisi il sistema finanziario italiano, dall'altro tutta la ricchezza derivata dai pellegrini e dalle ambasciate a Roma svaniscono quando i francesi si "impadroniscono" del papato, tenendolo per 70 anni ad Avignone, città angioina (ricorda che gli Angiò dominavano anche il sud d'Italia).

L'indebolirsi della potenza francese, impegnata nella guerra dei Cent'Anni con l'Inghilterra, e l'azione di intellettuali come Francesco Petrarca (1304-1374), che passa molti anni ad Avignone, e soprattutto come Caterina da Siena (1347-1380) creano le condizioni perché il Papa possa ritornare a Roma, ponendo fine ad una gravissima crisi di quella città, che fiorirà per i tre secoli successivi.

1347-54 Governo democratico a Roma, guidato da Cola di Rienzo

1378 Rivolta dei Ciompi a Firenze

| 1350 d.c | 1360 d.c | 1370 d.c | 1380 d.c | 1390 d.c |

1348 Da Costantinopoli arriva in Italia la peste

1377 Papa Gregorio XI torna a Roma

Come in Italia c'è la Lega Lombarda dei liberi comuni contro gli imperatori tedeschi, così sul Mar Baltico (tra Svezia, Polonia, Russia e Finlandia attuali) troviamo la Lega Anseatica: non per difendersi, ma per organizzare meglio la loro attività commerciale.

Crescono così città come Lubecca e Danzica; delegazioni della Lega si trovano da Londra alla Danimarca, da Riga fino a Novgorod (vicina all'attuale San Pietroburgo) - e in molti casi, si trovano negli archivi anseatici documenti scritti in veneziano, la lingua franca della marineria di questi secoli.

Palazzo di Lubecca

Le Signorie del Nord

Ludovico il Moro

PODESTÀ, CONDOTTIERI, SIGNORI

A pagina 34 hai letto come uno dei modi di governare
i comuni divisi in fazioni fosse il ricorso a podestà e
condottieri di ventura, cioè professionisti della politica
e delle armi.

Alcuni di questi professionisti finiscono per impadronirsi
del comune, al tempo stesso "signori" e protettori delle
classi borghesi che non vogliono perdere tempo, ricchezze
– e rischiare la vita! – nella politica e nelle armi.

In altri comuni ci sono invece delle famiglie che prendono
il potere grazie alla loro ricchezza ma anche alla loro
abilità di mercanti, che gli ha insegnato a mediare, a
negoziare – a fare politica, in altre parole. Banchieri e
condottieri trasformano l'Italia comunale, nata nel Mille,
nell'Italia delle Signorie, mentre nel Sud continua il regno
degli Angiò, che porta Napoli allo splendore.

TORINO

*Torino diventa la capitale del Ducato dei Savoia,
signori feudali di tutta l'area alpina tra Francia e
Italia, dal Lago di Ginevra fino a Nizza. Il vero
creatore della potenza dei Savoia è Amedeo
VIII (1383-1451), che per qualche anno è anche
"antipapa", cioè Papa eletto dalla chiesa francese.
I Savoia diverranno poi Re di Sicilia, e
scambieranno quest'isola con la Sardegna,
e con quel titolo diventeranno secoli dopo
gli attori principali dell'Unità d'Italia.*

FIRENZE

*Dopo la rivolta dei Ciompi (vedi p. 35) alcune
famiglie di banchieri si dividono il potere.
Alla fine i Medici ottengono il predominio con
Cosimo (1434-1464) e giungono, con Lorenzo
il Magnifico, al dominio politico sull'Italia
(e a un ruolo europeo pari a quello di re e
imperatori, dovuto al fatto che prestano fondi
a tutti i monarchi).*

*Castello Estense
a Ferrara*

1406 *Venezia conquista il
Ducato Scaligero di Verona*

1416 *I Savoia ottengono
il titolo di duchi*

1390 d.c		1400 d.c		1410 d.c		1420 d.c

1395 *I Visconti ottengono il
titolo di duchi*

1409 *Firenze conquista
Pisa e arriva al mare*

Nel 1339 Edoardo III d'Inghilterra inizia la guerra contro la Francia,
che in buona parte apparteneva proprio alla corona inglese; per questa
ragione Edoardo chiede anche la corona francese. Il risultato è un
secolo di guerra, che impoverisce i due regni ma li fa anche diventare
più uniti al loro interno: la corte inglese smette di usare il francese,
i francesi si sentono tanto forti da imporre per settant'anni Avignone
come sede del Papa, che lascia Roma...

L'atto più famoso di questa guerra è quello conclusivo, quando
gli inglesi bruciano Giovanna d'Arco sul rogo.

Giovanna d'Arco

- *Doge: dal latino* dux,
  *significa "capo,
  comandante".*

- *Ereditaria: riferito ad un
  titolo, che viene trasmesso
  da una persona ad un'altra
  senza elezioni.*

- *Rogo: mucchio di legna
  a cui si dà fuoco.*

MILANO

La vittoria dei Visconti, ghibellini legati all'impero, rafforza quella famiglia, che raggiunge il suo massimo potere con Gian Galeazzo (1385-1402) e Filippo Maria (1402-1447), legati anche ai francesi, che spingono il loro ducato fino a Perugia, anche se devono cedere Verona, Brescia e Bergamo a Venezia. Alla morte di Filippo Maria gli succede un condottiero, Francesco Sforza, che crea la nuova dinastia.

VERONA

È la prima signoria, quella della famiglia degli Scaligeri; raggiunge lo splendore con Cangrande, il protettore di Dante, nei primi decenni del Trecento, ma nel 1406 diventa veneziana.

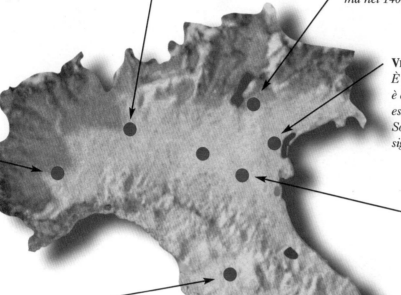

VENEZIA

È una signoria particolare: il signore, il Doge, è eletto dal Maggior Consiglio, composto essenzialmente di mercanti.
Solo un doge, Marin Faliero, cerca di creare una signoria ereditaria, ma viene condannato a morte.

FERRARA E MANTOVA

Gli estensi vengono da Este, tra Ferrara e Padova, ma è nella città sul fiume Po che creano la loro signoria, che raggiunge anche Modena e Reggio Emilia; il resto della valle del Po è dominato dai Gonzaga di Mantova. Sono Signorie ricchissime, sia per l'agricoltura sia per le tasse di passaggio tra nord e sud e lungo il Po.

1447 *Francesco Sforza succede ai Visconti a Milano*

| 1430 d.c | 1440 d.c | 1450 d.c | 1460 d.c |

1441 *Amedeo VIII di Savoia rinuncia al titolo di "antipapa"*

Mentre Inghilterra e Francia diventano stati nazionali, la Spagna ha un percorso più difficile: metà del territorio è conquistato dagli arabi, che solo dopo due secoli di guerra viene riconquistata dai cristiani (1260); la penisola si divide in quattro grandi regni: Portogallo, Navarra (i Paesi Baschi spagnoli e francesi), Castiglia (la zona centrale) e Aragona (la costa mediterranea, con Barcellona).
Solo dopo molte difficoltà nei rapporti tra questi regni, il matrimonio tra Isabella di Castiglia e Ferdinando d'Aragona crea uno stato forte, mettendo le basi per i due grandi secoli della potenza spagnola.

Isabella di Castiglia

L'equilibrio all'ombra dei Medici

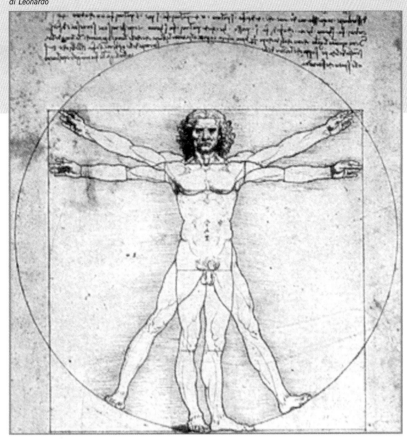

"L'uomo di Vitruvio"
di Leonardo

GUERRA E PACE

L'Italia è sempre più ricca, i banchieri italiani finanziano tutte le guerre europee, i mercanti veneziani dominano il Mediterraneo, nelle corti ducali (oltre alle signorie viste nelle pagine precedenti, ce ne sono molte altre, tutte ricchissime e impegnate a ricostruire l'Italia, sostenere gli artisti e le università) – eppure non c'è pace.

Il momento cruciale è la morte di Filippo Maria Visconti nel 1447. Nel caos che segue, il Doge Francesco Foscari (con l'appoggio di Napoli e dei Savoia, che temono il ducato milanese) cerca di conquistare quel che gli manca della pianura a nord del Po, cioè il Ducato di Milano.

Il difensore lombardo è Francesco Sforza, che ha sposato la figlia del Visconti, e che alla fine riesce a difendere il ducato, fermando i veneziani a Lodi, a pochi chilometri da Milano.

LA NASCITA DELL'ITALIA COME ENTITÀ POLITICA

La pace del 1454, che viene suggerita e realizzata dai Medici e per la prima volta vede coinvolti in un trattato unico, che crea la Lega Italica, le grandi potenze: Milano, Venezia, Firenze, la Roma dei Papi, Napoli.

Mentre in Inghilterra, Francia e Spagna – come hai visto nelle pagine precedenti – nascono le grandi monarchie nazionali, in Italia si fissa definitivamente la divisione tra

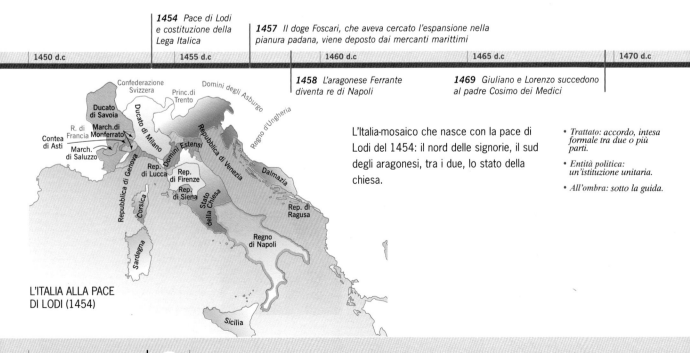

1454 Pace di Lodi e costituzione della Lega Italica

1457 Il doge Foscari, che aveva cercato l'espansione nella pianura padana, viene deposto dai mercanti marittimi

| 1450 d.c | 1455 d.c | 1460 d.c | 1465 d.c | 1470 d.c |

1458 L'aragonese Ferrante diventa re di Napoli

1469 Giuliano e Lorenzo succedono al padre Cosimo dei Medici

L'Italia-mosaico che nasce con la pace di Lodi del 1454: il nord delle signorie, il sud degli aragonesi, tra i due, lo stato della chiesa.

- *Trattato: accordo, intesa formale tra due o più parti.*
- *Entità politica: un'istituzione unitaria.*
- *All'ombra: sotto la guida.*

L'ITALIA ALLA PACE DI LODI (1454)

"regioni", ma al tempo stesso per la prima volta si pensa in termini di Italia come entità politica unica: tutti i ducati, che presto diventano principati, sono autonomi ma tutti sono "italiani". In realtà i quarant'anni di pace che seguono, all'ombra dei Medici, non sono segno dell'armonia tra stati vicini, ma della diffidenza, della paura reciproca che uno stato si ingrandisca e rompa in tal modo l'equilibrio.

L'EQUILIBRIO

L'equilibrio politico e la forte espansione economica portano con sé anche la ricerca dell'equilibrio intellettuale, che viene trovato sempre di più nel mondo della classicità.

Nelle università – dalla più antica, a Bologna, a quella creata a Napoli da Federico II di Svevia o quella della Repubblica di Venezia, collocata a Padova perché i mercanti veneziani non volevano avere studenti irrequieti in città… – gli studi del greco e del latino raggiungono livelli altissimi.

Nelle corti i signori si circondano di poeti (è il grande momento degli Estensi, che ospitano Matteo Maria Boiardo e Ludovico Ariosto), di artisti, come Michelangelo che lavora tra Firenze e Roma, o Leonardo che si muove tra Firenze, Milano e Parigi.

Volendo scegliere un simbolo di questi quarant'anni di pace, non possiamo che pensare all'Uomo di Vitruvio disegnato da Leonardo per studiare l'armonia, l'equilibrio perfetto del corpo umano.

Il Doge Foscari

1480 *Ludovico Sforza, detto il Moro, prende il potere a Milano*

1492 *Morte di Lorenzo dei Medici e Scoperta dell'America*

1475 d.c	1480 d.c	1485 d.c	1490 d.c	1495 d.c

1478 *Congiura della famiglia Pazzi contro i Medici; assassinato Giuliano*

A pagina 37 hai letto della nascita di uno stato nazionale anche in Spagna (che, come vedi nella cartina, possiede anche metà dell'Italia). I risultati non si fanno attendere: con la collaborazione del genovese Cristoforo Colombo, gli spagnoli arrivano in America centrale; altri europei avevano raggiunto l'America (i Vichinghi cinque secoli prima), ma non avevano capitali e tecnologie sufficienti per stabilire dei rapporti reali; gli spagnoli invece sono ricchi e le loro navi sono robuste, per cui in pochi decenni conquistano gran parte del nuovo continente, che prende il nome da un altro esploratore italiano, Amerigo Vespucci.

Ritratto di Cristoforo Colombo

La rottura dell'equilibrio

Niccolò Machiavelli

DI DOMAN NON V'È CERTEZZA

Lorenzo il Magnifico (1449-1492) è l'autore di una delle più famose poesie della letteratura italiana, in cui più volte si ripete

Chi vuol esser lieto, sia:
di doman non v'è certezza

Il grande politico sembra avere intuito che la pace nata nel 1454 è difficile da mantenere. Nella linea del tempo nelle pagine 38-39 hai potuto vedere che c'erano comunque delle tensioni. La principale è data dalla situazione del Regno di Napoli, passato dagli Angiò agli Aragonesi, ma ci sono altre situazioni critiche, che si accentuano con la scoperta dell'America, che sposterà il centro dei commerci dal Mediterraneo all'Atlantico e con il viaggio di Vasco de Gama, che nel 1498 arriva a Calcutta aprendo altre strade per i prodotti orientali.
Testimoni di questa fase sono i due creatori delle scienze politiche, Francesco Guicciardini (1483-1540), che non si fa illusioni sulla pace italiana: scrive chiaramente

Francesco Guicciardini

che ciascuno in politica segue il suo interesse particolare, e Nicolò Machiavelli (1469-1527), che studia la natura del principe, insieme volpe astuta e leone forte e deciso, studiando l'avventura di Cesare Borgia, che Papa Alessandro VI – suo padre – nomina duca di Romagna e che cerca di prendere il potere in Italia del nord, con l'aiuto dei francesi, dominando per qualche anno la scena politica italiana.

FRANCESI E SPAGNOLI IN LOTTA PER L'ITALIA

La fine dell'equilibrio è causata da potenze straniere, che vogliono conquistare i ricchissimi ducati italiani. Carlo VIII di Francia, erede degli angioini, reclama il Regno di Napoli, passato agli aragonesi spagnoli: la sua conquista di Napoli nel 1494 rompe il sistema degli stati italiani. Il suo erede, Luigi XII, attacca Ludovico il Moro, uno Sforza, dichiarandosi erede dei Visconti. Nel 1500 occupa Milano e dà agli Svizzeri, che l'hanno aiutato, il Ticino, cioè la zona a nord di Milano che ancor oggi è in quella confederazione.
La Spagna, la cui *invincible armada* è stata bloccata da Elisabetta I d'Inghilterra, cerca un accordo con la Francia – e l'equilibrio europeo distrugge l'equilibrio italiano:

1494 I francesi conquistano Napoli		**1499** I francesi a Milano e Genova	**1501** Inizia l'avventura di Cesare Borgia, figlio del Papa Alessandro VI	
1494 d.c	1496 d.c	1498 d.c	1500 d.c	1502 d.c	1504 d.c
	1498 Savonarola bruciato sul rogo	**1500** Francesi e Spagnoli si accordano per dividersi il sud d'Italia		

In America Centrale c'erano stati due imperi, prima quello Maya e poi quello Azteco, la prima vittima della conquista spagnola.
Nell'America del Sud si sviluppa un'altra grande civiltà, quella Inca, il cui massimo splendore va dal 1250, quando Cuzco diventa la capitale, fino al 1533, con l'arrivo degli spagnoli. In realtà, ormai l'impero Inca era già molto debole, per le stesse ragioni che avevano fatto crollare l'impero romano: l'eccessiva estensione - dall'attuale Quito, in Ecuador, fino al Cile centrale. Con i mezzi di trasporto del tempo, una simile estensione era ingovernabile.

Machu Pichu

- *Reclama:* vuole, pretende.
- *Nonché:* e anche.
- *Trascinante:* coinvolgente, stimolante, di successo.
- *Accolti:* ricevuti.
- *Delta:* il punto in cui un fiume entra in mare, creando paludi e dividendosi in più bracci.
- *Far marciare i commerci:* far sviluppare, far avere successo.

Festa Rinascimentale

nel 1516 la pace di Noyon assegna il Regno di Napoli, cioè tutto il sud, agli spagnoli e Milano ai francesi.
In realtà l'equilibrio dura poco: quando Carlo V d'Asburgo diventa imperatore (1519) d'Austria, dei Paesi Bassi e di Spagna (nonché delle sue colonie americane), i francesi cercano in ogni modo di mantenere la loro autonomia – e questo porta ancora problemi in Italia.

LE TENSIONI A FIRENZE

Quando i francesi occupano Napoli crolla l'equilibrio voluto dai Medici – e a Firenze la famiglia Medici viene attaccata. Il frate Girolamo Savonarola, un predicatore trascinante, di una religiosità fanatica, guida la rivolta contro i Medici e crea una repubblica teocratica, cioè governata secondo le più strette regole religiose.
Papa Borgia tuttavia lo scomunica e Savonarola viene bruciato sul rogo come eretico nel 1498 (vedi p. 44).
Pochi anni dopo i Medici rientrano a Firenze accolti come salvatori.

LE TENSIONI A VENEZIA

Il Doge Foscari, a metà del secolo, inaugura una politica rivolta alla Pianura Padana: in una guerra contro gli Estensi conquista il delta del Po (che significa il controllo della più grande via fluviale italiana), poi contro Milano conquista parte della Lombardia.
Ma questa politica crea scontenti, che portano alla destituzione di questo grandissimo Doge, il cui disegno politico (una repubblica veneta grande come la Pianura Padana, negli anni in cui si affermavano gli stati nazionali) avrebbe potuto cambiare la storia italiana. Sono scontenti i ricchi mercanti veneziani, che vogliono usare i capitali per far marciare i commerci con l'Oriente, non per fare guerre di conquista; sono scontenti gli altri stati europei, preoccupati per la forza di Venezia: si riuniscono tutti nella Lega di Cambrai, che nel 1509 sconfigge i veneziani e li costringe a restare nei loro confini.

1516 Il trattato di Noyon attribuisce il Sud alla Spagna e il ducato di Milano alla Francia.

1506 d.c	1508 d.c	1510 d.c	1512 d.c	1514 d.c	1516 d.c

1509 Venezia è sconfitta dagli eserciti della Lega di Cambrai

Anche l'Africa conosce grandi imperi in questi secoli, ma la povertà dei materiali di costruzione non ci ha lasciato monumenti come quelli degli imperi europei, americani e cinesi.
Nella prima parte del millennio gli arabi dominano il Mediterraneo del Nord; a ovest troviamo prima l'impero del Ghana (tra il IX e il XIII secolo) che poi si espande all'impero del Mali, che dura fino al 1400 (area rossa) e poi si spegne, lasciando come erede l'impero centrale del Kanem (in marrone), basato sul grande lago Ciad; a ovest trovi l'Etiopia, che rimane cristiana e da Mogadiscio domina le coste orientali; a sud infine troviamo il Grande Zimbabwe, che dura vari secoli e crolla solo alla fine del Quattrocento.

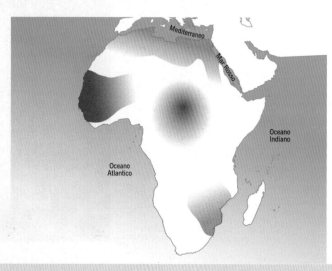

Il paesaggio dell'Italia degli umanisti

San Gimignano

In questi secoli il paesaggio delle campagne non cambia,
a prima vista – ma in realtà si mettono
le basi per la rinascita della ricchezza agricola:
fossi che portano l'acqua ai fiumi, prosciugando
le paludi; strade sempre più solide, che non si trasformano
in mari di fango per sei mesi l'anno;
e all'orizzonte le torri delle città che sbucano sopra le
mura, come quelle di San Gimignano che vedi nella foto.

Ma è nel paesaggio "umanizzato" che troviamo una grande
rivoluzione: il grande giardino di Palazzo Pitti che vedi
sotto (in un disegno di Giusto Utens della fine del
Quattrocento) ti mostra come l'uomo incominci a imporre
il suo disegno su quello della natura, che diviene
"artefatta", cioè fatta ad arte.
In questi secoli cambia completamente anche la natura
delle piante che trovi nel paesaggio: i rapporti con
l'Oriente, soprattutto con i contatti stabiliti dai veneziani,
arricchiscono i nostri frutteti di alberi che oggi per noi sono
comuni, dalle pesche ("pomo persico", mela della Persia)
alle albicocche, dalle ciliegie a una grande quantità di
ortaggi – anche se sarà tra pochi anni che dall'America
arriveranno i pomodori, i peperoni, le patate, il mais,
cambiando il colore degli orti che circondano le case,
e modificando la storia della cucina italiana.

Il Giardino all'italiana
di Palazzo Pitti a Firenze

Facciamo il punto

Completa il seguente riassunto guidato:

Pur essendo tutta Guelfa, nel Trecento Firenze è divisa tra _____, con i primi che rappresentano

_____ e i secondi _____ .

Per cercare di risolvere i conflitti interni, i Comuni sempre più spesso chiamano a governare _____ e

_____ .

Il sistema finanziario italiano va in crisi perché _____ ed inoltre le carestie e la peste

rendono la situazione disperata, tanto che nel 1378 scoppia a Firenze _____ .

I francesi trasferiscono a _____ la sede del papato che tornerà a Roma solo dopo _____ .

Grazie soprattutto all'attività di _____ l'Italia dei comuni si trasforma nell'Italia _____ ,

mentre al Sud prosegue il dominio degli _____ .

Le città dove si sviluppano le prime e le più importanti signorie sono: Verona, governata dagli _____ ; _____ il

cui signore, il _____, è eletto dal Maggior Consiglio formato per lo più da mercanti; Milano, dove dapprima

governano i _____ e poi gli _____ ; _____ , di cui diventano signori i

_____ ; Ferrara e _____ , governate rispettivamente dagli _____ e dai Gonzaga; e la

Torino dei _____ .

La ricchezza sempre maggiore dell'Italia, dovuta soprattutto a _____ favorisce lo sviluppo

dell' _____ e delle _____ .

Alla morte di _____ nel 1447, Venezia cerca di conquistare tutta la _____ ,

ma Francesco Sforza riesce a fermarla non distante da Milano.

Nel 1454 nasce la _____ che coinvolge le grandi potenze italiane.

Principali autori dei quarant'anni di pace che seguono sono i _____ e in particolare _____ .

Il regno di Napoli passa dagli Angiò agli _____ , mentre la scoperta dell'America sposta

_____ .

L'equilibrio tra gli stati italiani è definitivamente rotto da _____ che nel 1494 conquista _____ .

Con la _____ Spagna e Francia si dividono il controllo dell'Italia: Napoli va alla _____ ,

Milano va alla _____ .

Ancora una volta Venezia tenta di espandersi su tutta la Pianura Padana, ma viene sconfitta dalla _____ nel

1509.

La parola agli storici

IL RINASCIMENTO A FIRENZE

A Firenze il carattere borghese e mercantile del patriziato era
particolarmente evidente, e l'intera città, inoltre, era partecipe della
civiltà rinascimentale, non la sola corte del signore, come avveniva
a Milano, Ferrara, Mantova, Urbino e altrove. [...] Lo spirito della
classicità fu sempre particolarmente presente nell'arte fiorentina,
soprattutto nell'architettura, già nei secoli precedenti il '400. Chiese
costruite in stile romanico, come il Battistero o Santi Apostoli, presentano
già i caratteri di una compiuta classicità romana. Lo stesso gotico risentì
a Firenze dell'armonia classica, come dimostra la chiesa di Santa Maria
Novella.
[...] Nel corso del '400, grazie alla fama conseguita dai grandi
rappresentanti della letteratura *toscana* e fiorentina (Dante, Petrarca,
Boccaccio), il toscano cominciò ad affermarsi come lingua italiana,
mentre Firenze conseguiva un prestigio culturale che la collocava sopra
le altre città. Dall'intreccio di questi tre fatti emerge una civiltà dotata
di caratteri peculiari, che rendono il Rinascimento fiorentino diverso
per molti aspetti da quello delle altre città, perché più compiutamente
borghese, perché diffuso in tutte le classi, perché inserito in una tradizione
culturale singolarmente aperta alla classicità. Inoltre il Rinascimento
fiorentino differiva da quello delle altre città per un altro aspetto ancora:
perché investì anche la sfera della *religione*.

GIROLAMO SAVONAROLA (1452-1498)

Dotato di forte influenza non solo sul popolo ma anche su numerosi
intellettuali e artisti (tra gli altri: i filosofi Giovanni Pico della Mirandola
e suo nipote, gli artisti Giovanni della Robbia e Botticelli), Savonarola fu
un appassionato assertore, nelle sue prediche, della riforma della Chiesa e
dei costumi. Poiché i problemi della religione – a differenza di quelli della
cultura, riservati alle minoranze colte – appassionavano l'intera
cittadinanza, Savonarola contribuì in misura rilevante a diffondere fra gli
intellettuali e gli artisti a lui vicini la coscienza dei limiti della loro cultura
aristocratica (destinata cioè alle minoranze colte) e il bisogno di un più
ampio contatto col popolo.
[...]
I progetti di Savonarola parvero trovare attenzione nel 1494-1498 quando,
cacciati i Medici in occasione della venuta del re di Francia Carlo VIII, il
frate diede vita ad una repubblica modellata nella costituzione su quella
di Venezia, con forte impronta *teocratica* ma aperta a un programma di
riforma integrale che riguardava la religione, la cultura, la morale, la
politica e coinvolgeva tutte le classi sociali della città. Il tentativo di
Savonarola finì tragicamente perché il frate, in contrasto con papa
Alessandro VI, fu catturato dai suoi avversari, impiccato e bruciato
sul rogo.

Adattati da G. Carocci, *Il Medioevo*.

* Compiuta: compiutamente: intero, completo.

* Fama: notorietà e prestigio, celebrità.

* Investì: dal verbo **investire**, coinvolgere, interessare.

* Assertore: sostenitore, promotore.

* Coscienza: comprensione, l'essere consapevoli.

* Cacciati: espulsi, mandati via da Firenze.

4

il secolo d'oro

Il Cinquecento è il secolo d'oro dell'Italia: sebbene il centro dei commerci si stia spostando verso l'Atlantico, con la scoperta dell'America e la crescita dell'Inghilterra, e sebbene l'Impero d'Oriente sia stato conquistato dagli Ottomani, meno disponibili ai commerci, il Mediterraneo è ancora il centro del mondo occidentale, e l'Italia – posta al centro del Mediterraneo – gode di grande ricchezza.

Il 16° secolo è un secolo di guerre europee: e i grandi banchieri di Venezia, Milano, Firenze accrescono le ricchezze prestando denaro a tutte le parti coinvolte nei conflitti… La ricchezza viene usata per costruire palazzi, ville, chiese, e per decorarli con quadri, statue, giardini di una qualità insuperata nella storia – e tra quelle mura preziose si sentono le voci di poeti come Ariosto o Tasso, di studiosi come Machiavelli e Guicciardini. Davvero un secolo d'oro.

L'Italia tra Riforma e Controriforma

La Fontana e il
Duomo di Trento

LA RIFORMA PROTESTANTE

La chiesa di Roma ha sempre più potere politico e si
disinteressa del mondo spirituale, perde credibilità; come
conseguenza Martin Lutero lancia la riforma protestante,
che viene fatta propria dai principi tedeschi che vogliono
liberarsi del grande influsso del clero; poco dopo, in
Inghilterra Enrico VIII crea addirittura una chiesa
nazionale. La Spagna, sotto Carlo V (1519-1556) diventa
la grande protettrice del papato… e tutto questo trasforma
l'Italia in un campo di battaglia tra le varie potenze, come
vedremo nelle prossime pagine.

LA RIFORMA CATTOLICA

Soprattutto in Spagna (sempre più presente in Italia)
e in Italia la Chiesa Cattolica cerca di reagire: da un lato
si tratta di un ritorno alla spiritualità, che si realizza con la
nascita di nuovi ordini monastici (i Cappuccini, le Orsoline,
ecc.) e monastico-militari, come i Gesuiti; dall'altro si
cercano nuove vie sul piano teologico per superare il
contrasto con l'Europa del Nord – anche se alla fine i
contrasti divengono più acuti!
Tra tutti questi tentativi, emerge il Concilio di Trento.

IL CONCILIO DI TRENTO

Trento è la città di lingua italiana più a nord, sul confine
con l'area di lingua tedesca (il Sud Tirolo, oggi chiamato
Provincia di Bolzano): è significativo che questa città venga
scelta per il Concilio, cioè la riunione di tutti i vescovi.
Da un lato ci sono i Papi, che cercano di fare un dibattito
teologico di alto livello, riscrivendo il catechismo, dando
nuova struttura alla messa, cercando di riproporre la
spiritualità contro la politica religiosa; dall'altro ci sono
i continui interventi dell'Imperatore Carlo V, sovrano
d'Austria e di Spagna, che invece vede nel Concilio
un'arma politica contro i potenti principi della Germania
del Nord.
Stretto tra queste due forze, il Concilio si svolge tra il 1545
e il 1563 senza condurre ad una pacificazione, anzi aprendo
un fossato che durerà secoli tra cattolici e protestanti,
segnando la storia d'Europa e del mondo.

1534 Enrico VIII fonda la Chiesa d'Inghilterra;
Ignazio di Loyola fonda i Gesuiti

| 1510 d.c | 1520 d.c | 1530 d.c | 1540 d.c | 1550 d.c |

1517 Lutero rompe con la Chiesa di Roma

1545 Si apre il Concilio di Trento;
chiuderà nel 1563

Nel 1368 la dinastia Mongola viene cacciata e a
Nanchino, nel sud della Cina, rinasce l'impero, che
per secoli sarà dominato dai Mandarini, cioè la grande
burocrazia. Nel 1421 inizia la costruzione della Grande
Muraglia, per difendersi contro i Mongoli.
Le vie di navigazione che passano intorno all'Africa
riaprono i commerci con l'Europa, ma il potere centrale
decide di limitare gli scambi. Nel 1581 il gesuita Ricci
arriva a Pechino, dove assume un importante ruolo a
corte. Ma la politica di isolamento della Cina non cambia.

La Grande Muraglia Cinese

- *Gesuiti:* membri della
  cosiddetta **Compagnia
  di Gesù**, ordine
  monastico fondato nel
  1540 che si proponeva
  come obiettivo la
  diffusione del
  cristianesimo. L'ordine
  era organizzato secondo
  un modello militare.

- *Teologico:* che riguarda
  la teologia, cioè lo
  studio delle dottrine
  religiose.

- *Sud Tirolo:* la zona è
  nota anche come Alto
  Adige.

- *Concilio:* riunione di
  tutti i vescovi cattolici.

- *Catechismo:*
  l'insegnamento di principi
  della dottrina cristiana.

- *Aprendo un fossato:*
  provocando una rottura,
  una frattura.

- *Roghi:* plurale di **rogo**,
  mucchio di legna al quale
  si dà fuoco.

- *Streghe:* donna accusata
  di avere poteri malefici.

- *Pirati:* chi in mare
  attaccava navi per
  derubarle.

- *Ammiragli:* alti ufficiali
  della marina.

La Battaglia di Lepanto

La conclusione dà origine a un secolo duro, quello della *Controriforma*, segnata dai terribili tribunali dell'Inquisizione, dall'Indice dei libri proibiti, dai roghi delle streghe.

LA GUERRA CONTRO I TURCHI

A metà Quattrocento inizia a consolidarsi l'Impero Ottomano, erede islamico dell'Impero d'Oriente, che era stato cristiano-ortodosso (vedi p. 50).
I turchi dominano il Mediterraneo, i loro pirati bloccano i commerci (proprio mentre la scoperta dell'America apre le rotte atlantiche), e in pochi decenni i Turchi conquistano gran parte dei Balcani (ancora oggi vi sono regioni musulmane), l'Ungheria diventa provincia ottomana, arrivano a minacciare la capitale dell'Impero Austriaco.
Le potenze cattoliche si uniscono, e con i grandi finanziamenti spagnoli, austriaci e francesi e la grande conoscenza del Mediterraneo orientale degli ammiragli veneziani sfidano i turchi, sconfiggendoli in un'altra di quelle battaglie che segnano la storia: quella di Lepanto.

1571 *La flotta cristiana sconfigge quella turca a Lepanto*

| 1560 d.c | 1570 d.c | 1580 d.c | 1590 d.c |

Tra il 1528 e il 1658 in India c'è l'Impero dei Grandi Mogol, cioè di una dinastia di origine mongola, che favorisce fortemente la diffusione dell'Islam.
In questo secolo, in cui l'India prospera, la presenza degli Europei si fa sempre più forte: i primi sono i portoghesi, che fin dal 1535 ottengono delle basi per le loro navi, ma poi arrivano anche danesi, francesi, inglesi, che portano in India le conseguenze delle guerre europee.
La presenza straniera in India durerà fino a dopo la Seconda Guerra Mondiale.

Il Taj Mahal, in India

L'Italia degli spagnoli

Napoli

L'ITALIA NON RIESCE A CREARE UNO STATO NAZIONALE

In questo secolo si consolidano alcuni stati nazionali: la Spagna, la Francia, il Portogallo, l'Inghilterra. Germania e Italia mancano questo appuntamento: restano grandi unità culturali e linguistiche ma sono divise in piccoli stati indipendenti e spesso in guerra tra loro, senza che figure carismatiche (come Lorenzo de' Medici nella seconda metà del Quattrocento; vedi p. 40) possano realizzare un equilibrio.

All'inizio del secolo Venezia potrebbe ancora cercare di creare uno stato che includa l'intera pianura padana, ma subito le potenze internazionali si uniscono e sconfiggono questo disegno.

Cuore del Mediterraneo, che diventa sempre più periferico rispetto all'Atlantico, disturbata dalla potenza turca, l'Italia dovrebbe capire che sta arrivando la crisi – ma l'enorme ricchezza portata dai commerci e dalle banche che finanziano tutti i sovrani europei le fa credere di essere lontana da ogni pericolo.

CARLO V RE D'ITALIA

La mancanza di uno stato di dimensioni nazionali lascia i piccoli principati italiani aperti all'influenza spagnola, che presto diventa vero e proprio dominio anche al nord, come era già successo secoli prima nel Regno di Napoli, Sicilia e Sardegna (vedi p. 40).

Nel 1524 Francesco I di Francia riconquista Milano, ma l'anno dopo viene sconfitto a Pavia e il Ducato entra nella sfera spagnola; nel 1529 a Bologna il papa incorona Carlo V re d'Italia – e ciò apre trent'anni di tentativi francesi di intervenire in Italia.

Nel 1556 Carlo V lascia il trono spagnolo al figlio e quello austriaco al fratello: i francesi cercano di togliere almeno alcuni ducati italiani al nuovo re, ma nel 1559 la pace di Cateau-Cambrésis rafforza il primato spagnolo in Italia: essi dominano il Regno di Napoli, il Ducato di Milano, lo Stato dei Presìdi, piccoli stati tra la Toscana e lo Stato della Chiesa, dove la protezione spagnola è molto cercata, durante il Concilio di Trento (vedi p. 46).

1525 *Gli spagnoli sconfiggono i francesi a Pavia e ottengono Milano*

1510 d.c	1520 d.c	1530 d.c	1540 d.c	1550 d.c

1519 *Carlo V diviene Imperatore. Lascerà il trono nel 1556*

1557 *I Savoia guidano gli spagnoli contro i francesi*

La storia europea del Cinquecento è dominata da Carlo V, di origine austriaca, ultimo grande imperatore Germanico. Trascorse la vita a cercare di contenere Inghilterra e Francia, abbandonando sempre più l'Austria e i Paesi Bassi, concentrandosi sulla Spagna, l'Italia di cui è innamorato e che conquista con una serie di trattati internazionali, e le Americhe dove ha individuato il futuro.

Religiosissimo, lascia il trono volontariamente al figlio Filippo II, che con un abile matrimonio conquista anche l'impero portoghese... ma in pochi anni tutto viene sconvolto, sia dalla nuova potenza inglese, sia dall'enorme inflazione provocata dall'importazione di oro dal Messico.

Carlo V

- *Consòlidano: dal verbo **consolidare**, rafforzare, rendere solido e stabile.*

- *Carismatiche: autorevoli, importanti come punti di riferimento.*

- *Bancarotta: fallimento finanziario, di solito dovuto a debiti.*

- *Si abbatte come un ciclone: colpisce con violenza improvvisa.*

- *Viceré: persona che governa in nome del re in una regione lontana.*

- *Assorbe: dal verbo **assorbire**, qui: acquisire, fare proprio.*

- *Sfruttato: dal verbo **sfruttare**, trarre il massimo profitto da una situazione.*

*Veduta di Roma
nel Cinquecento*

GLI SPAGNOLI AL NORD E AL CENTRO

Gli spagnoli restano a lungo a Milano e influenzano altre
aree del Centro, ma non riescono ad imporre una politica
unitaria: Milano è troppo autonoma e legata all'Europa
centrale, la Svizzera di Calvino è vicina e molte delle idee
protestanti si fanno strada a livello culturale e di organizzazione economica. I piccoli stati spagnoli in Toscana sono
separati da Milano e anche tra di loro.

Inoltre, i Savoia (sebbene alleati degli spagnoli, come
vedremo a p. 50), Venezia e i Medici in Toscana fanno
tutto il possibile per impedire un'effettiva unificazione
dei domini spagnoli in Italia, che si limitano a pagare
tasse al trono spagnolo.

Tasse che comunque non bastano a salvare la Spagna dalla
bancarotta: nel 1607 la crisi economica spagnola si abbatte
come un ciclone soprattutto sui banchieri genovesi, ma
porta problemi a tutti i centri finanziari della Penisola.

GLI SPAGNOLI NEL SUD

Nel Nord e al Centro gli spagnoli hanno influenza politica
ma non culturale, come si è visto. Al Sud invece la storia è
diversa: Napoli, sede di un *Viceré*, è ormai da tempo parte
integrante del Regno Spagnolo, ne assorbe l'arte, la
mentalità e il sistema giuridico.

Sul piano economico, a differenza del Nord, il Sud è
sfruttato: deve produrre per il bene della Spagna, non
per se stesso.

E così il Sud segue le vicende della Spagna, paga un
altissimo prezzo per la crisi economica del Seicento:
secondo molti, le origini della Questione Meridionale
vanno cercate anche in questi decenni tra Cinque e
Seicento.

1588 *La Invencible armada
spagnola è sconfitta dagli inglesi*

1560 d.c	1570 d.c	1580 d.c	1590 d.c	1600 d.c	1610 d.c

1607 *La grande crisi economica
spagnola fa fallire le banche genovesi*

Enrico VII, Enrico VIII e soprattutto Elisabetta I consolidano in questo
secolo l'Inghilterra come la terza grande monarchia nazionale europea,
dopo quella spagnola (e portoghese) e quella francese, e subito si
mettono in lotta con loro per la conquista del mondo, dall'India (vedi
p. 47) all'America.

Il momento chiave è lo scontro tra l'imponente *Invencible armada*,
le cui navi sono pensate per attraversare l'oceano, e l'agile flotta
inglese, in gran parte fatta di "pirati" abituati alle correnti della
Manica e ai pericoli del Mare del Nord.

Spagnoli contro inglesi (l'Invincibile armata)

L'Italia non spagnola

L'Assedio di Roma nel 1527

LA SERENISSIMA REPUBBLICA DI VENEZIA

I mercanti veneziani (che abbiamo già visto a p. 37) sono ancora potenti a Istanbul, insieme a quelli Genovesi, ma ormai l'Oriente è un mondo che si va chiudendo. Venezia ha anche una certa quantità di territori nella pianura padana (fino a Bergamo, a pochi chilometri da Milano), in Istria e lungo la costa croata e albanese, più molte isole greche – ma non riesce a diventare uno stato "di terra", continua a puntare sul mare.

E questo errore le sarà fatale, con l'apertura delle rotte atlantiche. È il secolo di Tiziano, è quello della potenza marinara in prima linea nella battaglia di Lepanto contro i Turchi, ma è ormai iniziato il declino economico e, soprattutto, smette di essere una potenza europea, dove ormai contano solo gli stati nazionali (vedi p. 48).

IL DUCATO DI SAVOIA

Emanuele Filiberto, che domina il ducato per molti decenni, segue la solita politica dei Savoia (di cui hai letto a p. 36): si allea prima con gli spagnoli, che sono a Milano, e recupera con la pace di Cateau-Cambrésis, Nizza e il Piemonte; poi all'inizio del Seicento, quando l'influenza spagnola diventa eccessiva, si allinea con i francesi.

In questo modo il suo ducato si allarga e si rafforza, pur restando abbastanza marginale per la grande politica italiana.

1527 Roma conquistata e saccheggiata dalle truppe di Carlo V

1557 Emanuele Filiberto Savoia vince per conto degli Spagnoli

1520 d.c	1530 d.c	1540 d.c	1550 d.c	1560 d.c	1570 d.c

1535 Muore Francesco Sforza a Milano

L'Impero Ottomano realizza a Oriente un'espansione simile a quella Spagnola a Oriente. E come gli Spagnoli vogliono cristianizzare il mondo, così i turchi lo vogliono islamizzare. Il loro sogno europeo si spegne tra l'assedio di Vienna (1529) e la battaglia navale di Lepanto, per cui nel secolo successivo conquisteranno tutta l'Africa del Nord e il medio Oriente, conservando però il domini sui Balcani e il Mar Nero. Sono anni di splendore: soprattutto sotto il sultano Solimano il Magnifico, Istanbul, l'antica Costantinopoli e poi Bisanzio, è una città aperta a tutti, ricca, centro di raccordo tra Europa e Oriente.

Moschea di Istanbul

Torino del '500

Venezia del '500

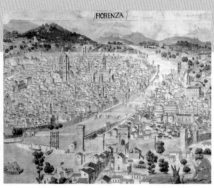
Firenze del '500

GENOVA E I DUCATI "CUSCINETTO"

I tre ducati del nord (Torino, Milano, Venezia) sono divisi dagli stati centrali (Toscana e Stato della Chiesa) da una serie di gloriosi ducati "cuscinetto" (Parma, Modena, Ferrara, Lucca) e dalla Repubblica di Genova, che possiede tutta la Liguria e la poverissima Corsica. Si tratta di piccoli stati che non fanno grande politica ma hanno una grande funzione economica e finanziaria.

IL GRANDUCATO DI TOSCANA

Cosimo dei Medici è il Granduca più importante di questo secolo – ma i successori (tranne Ferdinando) non sono alla sua altezza. Si limitano a finanziare i vari re europei in lotta, e con quei proventi abbelliscono le città, realizzano il porto a Livorno, e così via. Ma non cercano neppure di impedire seriamente agli spagnoli di creare lo Stato dei Presìdi, composto dall'isola d'Elba e da varie città e zone della costa.

LO STATO DELLA CHIESA

Per decenni gli interessi sono concentrati sui problemi religiosi, sia nella reazione contro i protestanti, sia in quella contro gli intellettuali – Giordano Bruno viene bruciato sul rogo, Galileo costretto all'esilio... Sul piano politico, tuttavia, la situazione è calma e né Francia né Spagna disturbano questo Stato, ritenuto "sacro".
Dopo il saccheggio imperiale del 1527, i grandi capitali che affluiscono a Roma le consentono di iniziare quell'immenso lavoro di ricostruzione che verso la fine del Cinquecento e poi nel Seicento ne faranno la capitale europea più bella e più "moderna".

1610 Galileo pubblica le sue osservazioni astronomiche

1600 A Roma viene bruciato Giordano Bruno

1610 Maria dei Medici reggente del trono di Francia

| 1580 d.c | 1590 d.c | 1600 d.c | 1610 d.c | 1620 d.c |

- *Tiziano: (1490-1576) uno dei più grandi pittori veneti del tempo, che esalta il senso naturale del paesaggio e la psicologia dei personaggi che dipinge attraverso un uso forte del colore.*

- *Marginale: di secondaria importanza, non fondamentale.*

- *Cuscinetto: (diminutivo di cuscino), qui: piccolo Stato posto tra altri maggiori per diminuire i contrasti fra di loro.*

- *Saccheggio: furto sistematico e violento.*

- *Affluiscono: dal verbo affluire, arrivare in grandi quantità.*

L'ITALIA NELLA SECONDA PARTE DEL CINQUECENTO

Il paesaggio dell'Italia rinascimentale

L'Italia rinascimentale si apre alla campagna, dopo
i secoli di chiusura dentro le mura dei piccoli comuni.
Nella pittura la natura non è più stilizzata, astratta,
come negli affreschi di Giotto o nei quadri del primo
Quattrocento; al contrario è una natura viva, realistica,
quasi violenta, come nel capolavoro di Giorgione,
conosciuto come *La tempesta*.
Come vedi in questo quadro la natura ha un ruolo
importante quanto quello delle persone ed è descritta
nella sua vivezza, nella sua verità.

Sotto vedi un altro aspetto del rapporto tra uomo e natura
in questo secolo: la logica dell'uomo si sovrappone alla
natura e la piega ai suoi desideri. È il secolo delle "città
perfette", costruite con forme razionali – cerchio, quadrato,
una stella come a Palmanova, la più importante città
militare del Cinquecento, costruita dai veneziani in Friuli,
dove convergono le strade da Venezia, la capitale, da
Udine (e quindi dall'Austria, a Nord), da Trieste (quindi
dai possedimenti veneziani nei Balcani).

La tempesta, Giorgione

Palmanova

- *Giorgione: (1477-1510) uno dei grandi pittori veneti del tempo, che tra i primi rappresenta la relazione tra uomo e natura e il continuo e misterioso rinnovarsi di quest'ultima.*

- *Vivezza: grande vivacità.*

- *Sovrappone: dal verbo **sovrapporre**, mettere al di sopra, qui in senso figurato.*

- *Convergono: dal verbo **convergere**, unirsi, incontrarsi in uno stesso punto provenendo da direzioni diverse.*

Facciamo il punto

Attività 1:
Quale delle mappe sottostanti rappresenta i domini spagnoli in Italia dopo Cateau-Cambrésis?

A

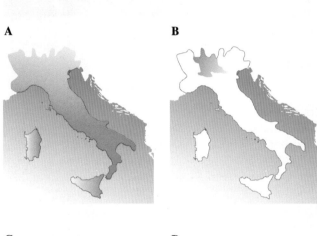

B

C

D

Attività 2:
Indica se le frasi riportate qui sotto sono vere o false.

	VERO	FALSO
1. Nel Cinquecento l'Italia è al massimo del suo splendore grazie ai suoi commerci nell'Atlantico.		
2. La Chiesa di Roma acquista sempre maggiore potere politico.		
3. Trento viene scelta come sede del Concilio perché è una città di lingua tedesca.		
4. Il Concilio di Trento porta la pace tra Cattolici e Protestanti.		
5. A Lepanto le potenze cattoliche e i veneziani sconfiggono i Turchi.		
6. Venezia riesce ad estendere i suoi territori nella pianura padana.		
7. Milano e Napoli vengono governati dagli Spagnoli nella stessa maniera.		
8. Parma, Modena, Ferrara e Lucca sono degli Stati cuscinetto.		
9. La Corsica è un territorio della Repubblica di Genova.		
10. Francia e Spagna disturbano lo Stato della Chiesa.		

La parola agli storici

La piazza del Duomo,
sede del Concilio di Trento

IL CONCILIO DI TRENTO

I padri conciliari, dopo un inizio piuttosto burrascoso, si misero con decisione
al lavoro e procedettero alla riorganizzazione spirituale della Chiesa e dei
movimenti spontanei, approfondendo tutti i più importanti problemi posti
dalla Riforma protestante e chiarendo in particolare:
1) che la verità non era soltanto nella Bibbia, ma anche nella tradizione
   e cioè nell'insieme delle interpretazioni che papi e concili avevano dato
   della dottrina cristiana;
2) che il diritto di interpretare la materia di fede era riservato esclusivamente
   alla Chiesa e non affidato a ciascun cristiano;
3) che per salvarsi non bastava la sola fede, ma occorrevano anche le opere
   buone.
Il Concilio inoltre definì il numero e il valore dei Sacramenti, riconfermò il
carattere divino del sacerdozio, riconobbe apertamente la supremazia del papa
come Vicario di Cristo e successore di Pietro. Per far conoscere alla massa
dei fedeli i princìpi fondamentali della dottrina della Chiesa fece in modo
che venisse insegnata in maniera semplice e chiara attraverso il catechismo
(dal greco katekhismós, istruzione religiosa a voce), forma di dialogo fra
maestro e allievo.

Adattato da A. Brancati, *Fare storia.*

L'IMPERO "UNIVERSALE" DI CARLO V

Sul trono di Spagna (...) era salito (...) a soli 16 anni Carlo V di Asburgo,
spirito freddo e lucido, prudente e calcolatore, il quale aveva ricevuto in eredità
dalla madre (...) l'impero spagnolo; dal padre i vasti domini della casa d'Austria
e dai prìncipi tedeschi la corona di quel Sacro Romano Impero della nazione
germanica che era stato fondato da Ottone I nel 962. Nelle mani del giovane
sovrano, dunque, si era improvvisamente raccolto un immenso territorio, che
comprendeva oltre al Napoletano, alla Sicilia e alla Sardegna anche la
Germania, l'Austria, i Paesi Bassi (Belgio e Olanda), nonché la Spagna e
tutte le sue colonie: ecco perché Carlo V era solito dire che sulle sue terre il
sole non tramontava mai. Eppure quello di Carlo V era un impero senza futuro.
Una semplice realtà geografico-politica, nata sulla base di un fortunato incontro
di dinastie, ma assolutamente privo di unità in quanto costituito da popoli
diversi per storia, lingua e costumi. Un impero di tipo "universale" di chiara
natura medievale, sviluppatosi però nell'epoca degli Stati nazionali – gelosi
guardiani della propria autonomia e indipendenza – e come tale destinato a
costituire una struttura fuori del tempo e in aperto contrasto con la realtà che
lo circondava. Di qui il suo rapido declino e il definitivo rafforzamento di quel
sistema di Stati liberi e sovrani, che, dotati di un forte esercito e di un'abile
burocrazia, costituivano ormai una caratteristica fondamentale della moderna
Europa.

Adattato da: A. Brancati, *Fare storia.*

* *Padri conciliari: i preti, vescovi e tutti i religiosi che prendono parte al Concilio.*

* *Burrascoso: agitato, difficile, con molti problemi.*

* *Sacramenti: nella dottrina cristiana i sette "gesti" attraverso i quali si può conquistare la grazia: battesimo, cresima, eucarestia, penitenza, estrema unzione, ordine, matrimonio.*

* *Sacerdozio: nella religione cattolica, il ministero di un sacerdote, cioè di un prete o di una carica più alta nella gerarchia della Chiesa.*

* *Supremazia: predominio, preminenza, controllo assoluto.*

* *Vicario: chi sostituisce una persona di grado superiore.*

5
la grande crisi

La Medusa di Caravaggio può essere presa come simbolo dello stato d'animo dell'Italia nel Seicento e almeno in parte del Settecento. Si potevano scegliere altri simboli: il cannocchiale di Galileo, l'eroe italiano della nuova scienza; il volto di Beccaria, che nel Settento scrive un trattato ancor oggi fondamentale contro la pena di morte.

Sarebbero stati simboli positivi: ma questi due secoli, iniziati con l'inflazione dovuta all'oro portato dal Messico e conclusi con la tempesta napoleonica, sono secoli di crisi profonda. In altre regioni d'Europa si affermano delle identità nazionali che in Italia non riescono a ritrovare un filo conduttore e lasciano la porta aperta al dominio straniero: l'Italia diviene solo una colonia da sfruttare.

La crisi economica

Caravaggio,
*Poveri giocatori
di Morra*

LA CRISI ECONOMICA

La conquista dell'America da parte della Spagna porta in Europa una crisi economica senza precedenti. Questa crisi non è dovuta alla decadenza degli stati europei (come era successo quando l'Impero romano si era sbriciolato ed aveva lasciato spazio libero ai barbari), ma a un elemento esterno: l'oro messicano e la "fuga" delle persone dotate di iniziativa.

L'oro e l'argento messicani (ma anche maya, inca, ecc.) arrivano come un fiume in piena in un'Europa dove la moneta di carta contava ancora poco e la ricchezza si valutava, appunto, in oro e argento: l'inflazione di quei decenni non ha pari nella storia mondiale. Improvvisamente, ricchezze secolari divengono insignificanti, mentre entrano nel mercato finanziario gruppi che non hanno alle spalle alcuna tradizione, ma solo ricchezza che spesso è il frutto di furti, pirateria, rapine.

La Spagna vive sulle sue conquiste, smettendo di fatto di produrre, e cade in una profonda crisi religiosa; i cervelli più brillanti cercano spazio nell'avventura americana, alla ricerca di una possibilità d'azione che in Spagna non c'è più. E visto che metà Italia è sottomessa agli spagnoli, le vicende di quel Regno ricadono sulla nostra penisola.

MASANIELLO, EROE DEI POVERI

La carestia, frutto anche di un raffreddamento del clima, aggiunge i suoi effetti a quelli delle vicende storiche: la miseria dilaga dall'Europa occidentale a Mosca (dove i contadini si ribellano nel 1648) e fino alla Cina, dove una tremenda siccità nel 1627 mette in crisi la dinastia Ming (cfr. p. 60).

Nel Seicento la popolazione italiana cala da 12 a 11 milioni di abitanti: dominano la fame e la povertà – cosa che non interessa ai padroni spagnoli, che aumentano le tasse per mantenere un continuo flusso di danaro dal regno di Napoli alla Spagna.

I contadini diventano "briganti", cioè lasciano i villaggi e vivono di furti e ricatti; nel 1647 a Napoli il popolo si ribella, con l'appoggio anche di alcuni religiosi, e trova

---

1628 *La grande peste arriva a Milano*

| 1600 d.c | 1620 d.c | 1640 d.c | 1660 d.c |

1607 *Crisi bancaria spagnola e genovese*

1647 *La rivolta napoletana di Masaniello*

I 54 anni di Regno di Luigi XIV, detto il Re Sole, sono un periodo di splendore per la Francia, che da un lato continua a lottare contro una Spagna ormai in crisi, dall'altro allarga le colonie.

Mentre in Inghilterra c'è perfino un periodo di repubblica e il resto d'Europa è straziato da guerre dinastiche, Luigi XIV dà alla Francia una stabilità che le permette di diventare una potenza mondiale, ruolo che avrà per secoli.

Re Sole - Luigi XIV

- *Ricadono: dal verbo **ricadere**, riflettersi, ripercuotersi.*

- *Carestia: mancanza o grande scarsità di cibo e altre cose necessarie per vivere.*

- *Dilaga: dal verbo **dilagare**, diffondersi, spandersi.*

- *Siccità: periodo di tempo in cui non piove mai e di conseguenza le riserve di acqua diminuiscono notevolmente.*

- *Furti e ricatti: rapine e estorsioni.*

- *Assedio: il circondare con un esercito armato una città per conquistarla.*

Masaniello

Venezia, Chiesa
della Salute

una guida in Masaniello (soprannome che sta per "piccolo
Tommaso"), che viene presto assassinato. Nasce una
repubblica, ma gli spagnoli e i proprietari terrieri
annegano nel sangue questo tentativo di rivoluzione.
Nel 1674 Messina, in Sicilia, segue l'esempio di Napoli
e si ribella alla Spagna, ma dopo quattro anni di assedio
viene riconquistata.

LA PESTE

C'erano state epidemie di peste nel Trecento e nel
Cinquecento – ma la più terribile, quella descritta da
Manzoni nei Promessi Sposi – è tra il 1625 e il 1630.
È facile immaginare l'impatto di questo "castigo di
Dio" su un'Italia in crisi economica, posta al centro di
un Mediterraneo che sta diventando una zona periferica
rispetto all'Atlantico, con la Chiesa che mostra il suo
volto più reazionario e crudele.
La peste derivava dalle condizioni di vita poverissime ma
anche dalle guerre, di cui parleremo nelle prossime pagine,
che insanguinano l'Europa e che spostano eserciti da una
regione all'altra, portandosi dietro il contagio.

Non c'è da stupirsi che a Venezia, alla fine della grande
peste, si raccolgano le forze per costruire la Chiesa della
Salute: impresa immensa non solo sul piano ingegneristico
(è costruita su milioni di pali che creano un'isola artificiale)
ma anche economica.

LA CRISI ECONOMICA IN ITALIA

Nel 1607 il Regno di Spagna dichiara bancarotta e getta in
crisi moltissime banche italiane che lo avevano finanziato:
Genova, ad esempio, non si riprenderà per secoli da questa
crisi finanziaria.
Ma le ragioni della crisi sono più profonde: i porti italiani
divengono insignificanti rispetto a quelli dell'Atlantico;
i tessuti italiani, i più ricchi e sofisticati del mondo, non
trovano più acquirenti e sul mercato europeo si impone
la lana inglese, più rozza ma anche più economica.
Soprattutto, è il gusto italiano ad andare fuori moda,
per cui i ricchi compratori si rivolgono ai fiamminghi
e ai francesi…
È una forma di "globalizzazione", e la lezione di quei secoli
può aiutarci a capire quel che succede oggi.

1674 La rivolta di Messina

| 1680 d.c | 1700 d.c | 1720 d.c | 1740 d.c |

1715 Muore il Re Sole di Francia

- *Manzoni (1785-1873), uno dei
  principali poeti e romanzieri italiani,
  autore, oltre che dei **Promessi Sposi**,
  anche dell'ode "Il 5 Maggio"
  ispirata dalla morte di Napoleone.*

- *Reazionario: persona che vuole la
  ricostruzione, anche con metodi
  violenti, di una situazione storica,
  politica e sociale ormai superata.*

- *Contagio: trasmissione di una
  malattia.*

- *Acquirenti: compratori.*

Pietro il Grande di Russia

Vastissima, coperta di neve per mesi ogni anno, la Russia
ha difficoltà di organizzazione: i signori locali sono
indipendenti dallo zar e la Chiesa ortodossa contrasta la
nascita di un forte potere politico centrale. Pietro il Grande,
tra il 1682 e il 1725, riesce a dare unità alla Russia,
europeizzando l'idea di stato, imponendo il francese come
lingua delle classi colte, guardando piuttosto alla Germania
come modello militare. Questa Russia europeizzata trova
il suo simbolo in San Pietroburgo, la città fondata da Pietro
il Grande all'inizio del Settecento

Tra crisi religiosa
e nuova scienza

Caravaggio rappresenta perfettamente il senso di paura e di crisi del Seicento

IL CROLLO DI UN MONDO RELIGIOSO

La crisi politica, la carestia, la peste portano alla fine di un ordine politico antico – ma è la religione il settore più in crisi.

Nel Cinquecento le nuove scoperte scientifiche hanno messo in discussione la verità letterale della Bibbia, l'Europa Settentrionale ha abbandonato la Chiesa di Roma, il Concilio di Trento (cfr. p. 54) non è servito che a irrigidire gli animi.

In questa cornice, l'Europa sprofonda in una guerra di religione – dove la religione è spesso solo una scusa, come nella Guerra dei Trent'Anni (1618-1648), combattuta tra i vari rami degli Asburgo d'Austria coinvolgendo poi tutta l'Europa, o come nelle guerre tra Cattolici e Puritani in Inghilterra.

I PROTESTANTI IN ITALIA

I protestanti non sono solo nel Nord d'Europa: anche in Italia ci sono comunità che seguono la nuova religione, soprattutto nelle aree lontane dalle zone in cui

l'Inquisizione è forte.

Ma essere protestanti in Italia non è semplice: lo dimostra il massacro dei protestanti della Valtellina (una valle tra Lombardia e Svizzera) compiuto nel 1620 dagli Spagnoli che dominano Milano, e il massacro dei valdesi in Piemonte, che i Savoia compiono su pressione di Luigi XIV, il re Sole di Francia (cfr. p. 56).

1633 La Chiesa condanna Galileo per il suo Dialogo sopra i due massimi sistemi del mondo

1610 d.c	1620 d.c	1630 d.c	1640 d.c	1650 d.c	1660 d.c

1620 I puritani inglesi fuggono in America. Massacro dei protestanti in Valtellina

1637 Cartesio pubblica il Discorso sul metodo

Nel Seicento Spagna e Portogallo hanno colonie da cui traggono soprattutto materie prime; nel Settecento le nuove potenze (Inghilterra, Francia, Olanda) cercano un nuovo "prodotto" nelle colonie africane, gli schiavi. È una delle grandi vergogne del colonialismo europeo.
La ricerca di nuove colonie porta alle grandi esplorazioni di questo secolo, rese possibili anche dalle nuove tecnologie di costruzione delle navi; tra il 1768 e il 1771 Cook viaggia intorno al mondo e scopre l'ultimo continente, l'Australia.

Schiavi

- *Irrigidire: (qui) rendere ostili, nemici.*

- *Puritani: tutti coloro che aderiscono al **Puritanesimo**, un movimento religioso nato in Inghilterra tra il XVI e il XVII secolo per dare un carattere più rigido alla Chiesa anglicana.*

- *Cannocchiale: strumento ottico che serve ad osservare gli oggetti lontani facendoli apparire come più vicini.*

LA NUOVA SCIENZA

Nel Cinquecento Copernico, che spiega
come non sia il Sole a girare intorno alla
Terra, come vorrebbe la religione cristiana,
ma il contrario, cioè la Terra intorno al
Sole, dà il via a una rivoluzione scientifica
che trova eredi in tutt'Europa, da Keplero
a Cartesio, da Bacone a Newton. L'Italia
gioca un ruolo importante in questo
processo, malgrado la Chiesa cerchi di
impedirlo.

Il nome principale è quello di Galileo
(1564-1642), che non solo fa importanti
scoperte, soprattutto attraverso l'uso
del cannocchiale, ma che crea il "metodo
scientifico" moderno, basato sulla
sperimentazione e l'osservazione
sistematica.

Anche altri scienziati italiani danno un contributo rilevante,
ad esempio nello studio dell'anatomia: nel 1618 e negli
anni seguenti Luca Ciamberlano, che divulga i nuovi studi
con una serie di incisioni che rappresentano la base della
medicina moderna, apre la strada a Malpighi che, nel 1674,
fa il primo trattato microscopico di anatomia umana, e a
Morgagni che nel 1706 lega anatomia e medicina nel suo
Adversaria anatomica.

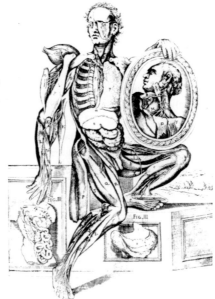

*Tavola anatomica
di Malpighi*

Galileo Galilei

1667 *Compare il grande poema puritano:
Il paradiso perduto, di Milton*

1706 *Morgagni pubblica
Adversaria anatomica*

1670 d.c	1680 d.c	1690 d.c	1700 d.c	710 d.c

1674 *Malpighi pubblica Anatomes plantarum /
Massacro dei valdesi in Piemonte*

---

* *Sperimentazione: il verificare, mettere
alla prova la verità di una fenomeno,
di un'ipotesi, di una teoria.*

* *Anatomia: scienza che studia come
sono composte le parti del corpo
umano o degli animali.*

* *Incisioni: disegni fatti sopra una
superficie dura che permette poi la
stampa di molte copie.*

La Rivoluzione industriale

Alla metà del Settecento il panorama economico cambia: non è più
la terra ad essere la fonte primaria della ricchezza, ma questa deriva
dalla produzione e dal commercio dei beni. Si avvia così la "Rivoluzione
industriale" in Inghilterra, in Francia e in parte della Germania:
i contadini in miseria lasciano le campagne e vanno nelle nuove
metropoli, dove non sono trattati molto meglio degli schiavi che
forniscono braccia alle piantagioni americane.

Gli stranieri in Italia

Don Pedro di Toledo

I FRANCESI IN ITALIA

Se alcuni italiani "invadono la Francia" – come Maria dei
Medici, potentissima madre di Luigi XIII, o come Concini
e il Cardinal Mazzarino, che hanno grande rilievo politico
– d'altro canto la Francia considera l'Italia come una terra
di conquista, da cui tenere il più possibile lontano gli
spagnoli (vedi p. 62).
Il Re Sole considera i Savoia del Piemonte come suoi
feudatari, e addirittura interviene direttamente con il
suo esercito, conquistando Casale Monferrato nel 1681 e
bombardando Genova nel 1684 perché alleata degli spagnoli.
Nel Settecento, invece, il dominio francese smette di essere
politico e diviene culturale, trasferendo in Italia i princìpi
dell'Illuminismo, come vedi nella pagina a fronte.

GLI SPAGNOLI IN ITALIA

Nella seconda metà del Cinquecento la Spagna controlla
il Sud d'Italia, alcune fortezze in Toscana e, soprattutto,
il Ducato di Milano. Nel Seicento essa condiziona anche
stati autonomi come quello della Chiesa e la Repubblica
di Venezia, e nel tentativo di controllare anche il Piemonte
dei Savoia provoca, come abbiamo visto sopra, l'intervento
dei francesi.
Se il Nord è un campo di battaglia tra potenze straniere,
il sud è in qualche modo più fortunato: nel Settecento si
assiste infatti al momento magico di Napoli, su cui regna

Carlo di Borbone, un re illuminista giunto al governo nel
1734 e poi divenuto re di Spagna nel 1759. Per la prima
volta i capitali non vanno dall'Italia alla Spagna, ma da lì
vengono nella città che Carlo ama e che diventa una delle
maggiori capitali europee.

IL NUOVO ASSETTO ITALIANO NEL SETTECENTO

All'inizio del Settecento la Spagna è travolta da una guerra
di successione; alla sua conclusione, nel 1720, la Sicilia
viene assegnata all'Austria e la Sardegna passa dagli
Spagnoli ai Savoia (che fino alla creazione del Regno
d'Italia nel 1861 saranno conosciuti come Re di Sardegna,
anche se il loro potere reale è in Piemonte).
Un'altra guerra di successione, in Polonia, ha risultati
che interessano l'Italia: avendo vinto la guerra polacca,
l'Austria riceve in compenso il Ducato di Parma e quello
di Toscana (assegnato al Duca di Lorena, marito di una
Asburgo d'Austria).
La Repubblica veneziana in questo secolo nasconde sotto
le feste e i carnevali la sua decadenza economica e politica,
mentre i Savoia lentamente si liberano dall'influenza dei
loro protettori francesi e creano uno stato moderno.

1713 *I Savoia ottengono la Sicilia*

1700 d.c	1710 d.c	1720 d.c	1730 d.c

1703 *I Savoia lasciano l'alleanza francese a favore di quella spagnola*

1720 *La Spagna rinuncia al predominio in Italia, la Sicilia va all'Austria e la Sardegna ai Savoia*

Carestie e povertà segnano il Seicento in Cina, dove le rivolte
contadine portano al crollo della dinastica Ming, al cui posto arriva
quella Manciù, il cui massimo esponente in questi anni è Kang Tsi
(1662-1722). Rifiorisce la ricerca degli antichi testi cinesi,
il confucianesimo si diffonde, il cristianesimo viene bloccato, e nuova
ricchezza giunge dalle conquiste territoriali, che allargano l'Impero
fino alla Birmania e al Tibet.
In Europa si diffonde la mania delle "cineserie".

Vaso cinese

- *Travolta da una guerra di successione: sconvolta, tormentata da una guerra tra gli eredi, i possibili successori al trono.*

- *Censimento: il conteggio, la numerazione delle proprietà (o anche degli abitanti).*

- *Teoria ciclica dell'evoluzione della storia: secondo questa teoria la storia non è altro che un ripetersi di eventi sempre uguali che hanno luogo a intervalli più o meno regolari di tempo.*

Cesare Beccaria

L'ILLUMINISMO IN ITALIA

Il settecento è il secolo della ragione, o almeno del razionalismo, che ha in Francia il suo centro principale. L'Italia, dove anche uno spagnolo come Carlo di Borbone (vedi sopra) è di cultura francese, è terreno fertile per le nuove idee.

Alcuni stati cercano di razionalizzare la loro conoscenza dei beni dei cittadini: a Napoli e in Piemonte, ad esempio, si cerca di fare un "catasto", cioè un censimento delle proprietà terriere e di case e strutture. Pietro Leopoldo di Toscana cerca, nel 1779, di realizzare una monarchia costituzionale – progetto rivoluzionario per quegli anni. Ma è nella riflessione storica e politica che l'Italia offre spunti fondamentali per l'Illuminismo.

Ludovico Muratori (1672-1750) propone di studiare la storia in maniera non ideologica, ma realistica, e indica nella mancanza di riforme il maggior rischio degli stati; Giambattista Vico (1668-1744) crea una teoria ciclica dell'evoluzione della storia; Pietro Giannone (1676-1748) immagina un'Italia laica, in cui il Regno della Chiesa non ha spazio (e paga questa sua idea con il carcere e la morte…); a Milano, Pietro Verri (1728-1797) e Cesare Beccaria (1738-1794) danno voce alle nuove idee, e il secondo scrive *Dei delitti e delle pene*, in cui sostiene che i processi debbano essere pubblici, che i delitti vanno prevenuti prima che puniti, e che la pena di morte non figura tra i diritti dello stato.

Se pensiamo che è scritto nel 1764…

1764 Beccaria pubblica
Dei delitti e delle pene

| 1740 d.c | 1750 d.c | 1760 d.c | 1770 d.c |

1738 Parma e la Toscana all'Austria

Il dominio Mogol in India finisce all'inizio del Settecento, anche ad opera delle insurrezioni degli indù, che erano stati perseguitati ferocemente dai Mogol.

In questa lotta civile si inseriscono gli europei, che acquistano o conquistano porti e città da usare come base per i loro commerci con l'Asia, e che trasformano il sud-est asiatico in un campo di battaglia per affermare la loro supremazia.

Arte indiana

Napoleone in Italia

Paolina Borghese Bonaparte
di Canova

LA RIVOLUZIONE FRANCESE

Nel 1776 scoppia la rivoluzione americana contro gli inglesi (vedi sotto) e dimostra che i borghesi possono liberarsi dal potere aristocratico.

Nel 1789 le idee liberali e quelle illuministiche si tramutano in azione politica e scoppia la rivoluzione a Parigi. Nasce una Repubblica, che presto si trasformerà nel regno del Terrore.

Un giovane generale, nato in Corsica quando questa era ancora parte della Repubblica di Genova, ma cresciuto in Francia, viene incaricato di trovare uno sfogo alle tensioni interne con una guerra all'estero, in Italia – dove si spera di trovare anche tesori e ricchezze per riempire le casse dello stato. Quel generale è Napoleone che, secondo l'immagine di Manzoni (prima ammiratore e poi critico del francese) si pone come arbitro tra due secoli e, soprattutto, tra due concezioni dello Stato.

LA CAMPAGNA D'ITALIA

Nel 1796 Napoleone invade l'Italia, sconfigge i Savoia e gli austriaci, pone il Piemonte e la Toscana sotto il diretto controllo della Francia e dà il suo sostegno a una serie di repubbliche giacobine (dal nome del partito di estrema sinistra francese): la repubblica Cisalpina nella Pianura Padana, quella Romana nell'antico Stato della Chiesa, quella Partenopea nel Regno di Napoli.

Nel momento in cui gli pare che la situazione sia sotto controllo e che gli convenga tornare a Parigi per controllare gli eventi politici, firma il trattato di Campoformio (1797), in cui "regala" la Repubblica di Venezia agli Austriaci, che la terranno fino al 1866, tranne un breve intermezzo.

È la fine della più duratura repubblica della Storia – anche se Venezia non era più in grado di esportare beni e servizi ma solo di offrire alle corti europee geni come il pittore Tiepolo o il musicista Vivaldi.

1790 d.c	1795 d.c	**1797** *Morte della Repubblica di Venezia*	**1805** *Napoleone Re d'Italia e suo fratello Giuseppe Re di Napoli*
		1796-97 *Campagna d'Italia*	1800 d.c **1802** *Repubblica Italiana (nel Nord)* 1805 d.c

Nel 1776 la guerra tra americani e inglesi (che già da anni era in corso sotto la forma di insurrezioni locali) si generalizza e viene dichiarata l'indipendenza degli Stati Uniti; nel 1787 viene approvata la costituzione e George Washington diventa il primo Presidente. Questa rivoluzione è il primo segno dell'inversione di tendenza: l'Europa smette di essere il centro del mondo che lentamente conquista i vari continenti, ma deve accettare che nascano altri centri politici ed economici, con i quali deve imparare a convivere.

George Washington

* *Si tramutano*: **dal verbo tramutarsi**, *tradursi, trasformarsi, diventare.*
* *Figliastro*: *figlio nato da una relazione diversa rispetto a quella attuale.*

Alessandro Manzoni

Napoleone Bonaparte

GLI ITALIANI E NAPOLEONE

Gli italiani all'inizio hanno grandi speranze sull'effetto dell'intervento di Napoleone: intellettuali come Vincenzo Monti e Alessandro Manzoni lo esaltano, i nuovi stati si modellano secondo la logica che poi Napoleone darà alla Francia: si attua il centralismo amministrativo, un prefetto rappresenta lo stato in ogni provincia, si istituiscono un tribunale e un liceo statale in ogni città, si riscrivono i codici legislativi, si eliminano le enormi proprietà della Chiesa.

Anche dopo la delusione, quando Napoleone re d'Italia perde tutto e finisce in esilio in un isolotto di proprietà degli inglesi, l'organizzazione napoleonica dello Stato resterà e darà all'Italia la struttura base per una forma e un'idea di Stato che ha retto fino al 2000.

L'ITALIA UNITA

Mille anni dopo Carlo Magno (vedi p. 21), per la prima volta l'Italia si trova unita di fatto in un'unica entità politica, anche se ufficialmente esistono più Stati; nel 1805 la Repubblica italiana (quella del nord), che si è data una costituzione basata su quella francese, si trasforma in Regno d'Italia, di cui è viceré il figliastro di Napoleone, e riceve dall'Austria (sconfitta ad Austerlitz) il Veneto, l'Istria e la Dalmazia, cioè la costa orientale dell'Adriatico. Al centro, Toscana e Lazio sono alle dirette dipendenze del governo di Napoleone, e il Papa è privato di ogni potere – tant'è vero che è perfino obbligato ad andare a Parigi ad assistere all'incoronazione di Napoleone come imperatore! Nel sud, Napoleone dichiara decaduta la dinastia borbonica e pone sul trono del Regno suo fratello Giuseppe.

Rimangono fuori dal controllo diretto di Napoleone la Sicilia (dove regnano i Borboni) e la Sardegna (che rimane ai Savoia), ma in realtà la politica francese influisce anche sulle due grandi isole.

Nel 1815, sconfitto definitivamente Napoleone, il congresso di Vienna riporta l'Italia al mosaico di staterelli in cui era divisa vent'anni prima.

1815 *Congresso di Vienna*

| 1810 d.c | 1815 d.c | 1820 d.c |

1814 *Napoleone si ritira sull'Isola d'Elba, in Toscana*

Il governo francese sembra non voler tener in alcun conto gli ideali di libertà diffusi dall'Illuminismo e non coglie la lezione che viene dagli Stati Uniti: ne consegue che la borghesia e il popolo (anche se quest'ultimo solo nelle grandi città) si ribella. L'ideale rivoluzionario si allarga a tutta l'Europa come un incendio, e una persona, Napoleone, sa cogliere il momento e diviene il signore del Continente. Ma la sua parabola dura vent'anni, e poi tutto torna come prima ad opera del Congresso di Vienna del 1815.

La Rivoluzione Francese

Il paesaggio dell'Italia settecentesca

Il Settecento è il secolo del gran tour ed uno dei più celebri "turisti" che viene in Italia, e scrive un diario di viaggio che la interpreta per i nordici, è Goethe.

Eccoti due foto che mostrano il paesaggio come può averlo visto il poeta tedesco:

- una veduta di Napoli, con i tipici pini marittimi fatti a ombrello, il Vesuvio sullo sfondo, il Castel dell'Ovo nello scoglio di fronte alla città e due pastori che si godono il sole. Oggi, tutte queste colline sono coperte di palazzi e palazzi…

- una tipica costruzione seicentesca nella pianura padana: in effetti, nulla è cambiato.

Johann
Wolfgang
Goethe

Facciamo il punto

Metti in ordine cronologico i seguenti avvenimenti anche indicando l'anno o il periodo in cui avvengono.

1. La popolazione italiana cala da 12 a 11 milioni di abitanti: dominano la fame e la povertà – cosa che non interessa ai padroni spagnoli, che aumentano le tasse per mantenere un continuo flusso di danaro dal regno di Napoli alla Spagna.

2. Il Re Sole considera i Savoia del Piemonte come suoi feudatari, e addirittura interviene direttamente con il suo esercito, conquistando Casale Monferrato e bombardando Genova perché alleata degli spagnoli.

3. Copernico, che spiega come non sia il Sole a girare intorno alla Terra, come vorrebbe la religione cristiana, ma il contrario, cioè la Terra intorno al Sole, dà il via a una rivoluzione scientifica che trova eredi in tutt'Europa.

4. La Sicilia viene assegnata all'Austria e la Sardegna passa dagli Spagnoli ai Savoia.

5. Il gusto italiano va fuori moda, per cui i ricchi compratori si rivolgono ai fiamminghi e ai francesi.

6. La conquista dell'America da parte della Spagna porta in Europa una crisi economica senza precedenti.

7. Napoleone invade l'Italia, sconfigge i Savoia e gli austriaci, pone il Piemonte e la Toscana sotto il diretto controllo della Francia e dà il suo sostegno a una serie di repubbliche giacobine.

8. La peste derivava dalle condizioni di vita poverissime ma anche dalle guerre che insanguinano l'Europa e che spostano eserciti da una regione all'altra, portandosi dietro il contagio.

9. Nell'Italia del sud si assiste al momento magico di Napoli, su cui regna Carlo di Borbone.

10. Essere protestanti in Italia non è semplice: lo dimostra il massacro dei protestanti della Valtellina compiuto dagli Spagnoli che dominano Milano, e il massacro dei valdesi in Piemonte, che i Savoia compiono su pressione di Luigi XIV, il re Sole di Francia.

11. Nel sud, Napoleone dichiara decaduta la dinastia borbonica e pone sul trono del Regno suo fratello Giuseppe.

12. La Spagna vive sulle sue conquiste, smettendo di fatto di produrre, e cade in una profonda crisi religiosa.

13. La Spagna condiziona anche stati autonomi come quello della Chiesa e la Repubblica di Venezia.

14. Il Regno di Spagna dichiara bancarotta e getta in crisi moltissime banche italiane che lo avevano finanziato.

15. La Francia considera l'Italia come una terra di conquista, da cui tenere il più possibile lontano gli spagnoli.

16. In Francia nasce una repubblica, che presto si trasformerà nel regno del Terrore.

17. Messina, in Sicilia, segue l'esempio di Napoli e si ribella alla Spagna, ma dopo quattro anni di assedio viene riconquistata.

18. La Repubblica veneziana nasconde sotto le feste e i carnevali la sua decadenza economica e politica.

19. Galileo crea il "metodo scientifico" moderno, basato sulla sperimentazione e l'osservazione sistematica.

20. Alcuni stati cercano di razionalizzare la loro conoscenza dei beni dei cittadini: a Napoli e in Piemonte, ad esempio, si cerca di fare un "catasto".

La parola agli storici

LA RIVOLTA NAPOLETANA DEL 1647

La Guerra dei Trent'Anni e l'aumento delle tasse resero la situazione insostenibile. La rivolta popolare scoppiò nel 1647 a Napoli per protestare contro l'introduzione di una "gabella" (una tassa sul consumo) sulla frutta, e si diffuse nelle province dove diede luogo a una vera e propria guerra contadina che durò fino al 1648. La rivolta a Napoli fu inizialmente guidata da un vivace ed estroverso garzone pescivendolo, Tomaso Aniello, detto Masaniello, che però poco dopo impazzì e fu ucciso dai suoi stessi compagni. Le vere guide politiche della rivolta furono alcuni elementi della classe media napoletana […].

La rivolta napoletana del 1647-1648 è stata forse il più importante episodio rivoluzionario della storia italiana a partire dal Medioevo. Mai i contadini italiani si sono mossi con tanta decisione e disperazione. È tuttavia abbastanza facile capire perché la rivolta si sia conclusa con un fallimento. La borghesia di Napoli non aveva una forza tale da imporsi e inoltre fece degli errori di valutazione politica, sostenendo prima la Francia e poi la Spagna. I contadini e i ceti medi delle province lottarono contro i baroni, ma il loro massimo desiderio era togliere il comune al dominio del barone per darlo allo stato; non avevano cioè una visione completa di cosa si doveva fare per creare un ordinamento politico che non dipendesse dal governo centrale. Ciò sarebbe stato forse possibile solo se una parte della nobiltà avesse guidato gli insorti. Ma questo non accadde perché la nobiltà napoletana, pur essendo spesso in contrasto con il viceré su questioni di secondaria importanza, su quelle fondamentali della difesa dell'ordine fu a suo favore. Alla sanguinosa repressione della guerra contadina seguì nel 1656 la peste […] che fece diminuire la popolazione di Napoli da 300.000 a 180.000 persone.

Adattato da G. Carocci, *Corso di storia. L'età moderna*.

IL DIFFICILE RAPPORTO TRA GALILEO E LA CHIESA

Galileo Galilei […] fu lo scienziato che, in modo chiaro e relativamente semplice, creò un nuovo modo di guardare il mondo della natura, mettendo così le basi della fisica moderna. […] Il merito grandissimo di Galileo fu quello di avere dimostrato una volta per tutte la validità delle idee di Copernico in campo astronomico. […] La cosa in se stessa non sarebbe stata scandalosa; ma in quel periodo i tradizionalisti e la Chiesa di Roma, timorosi della diffusione di idee […] in contrasto con la tradizione, attaccarono duramente Galilei, accusato di diffondere concezioni in contrasto con le verità contenute nella Bibbia, dove appunto si dice che è il Sole a ruotare attorno alla Terra e non viceversa. Galilei, cosciente di queste difficoltà si impegnò in una energica "battaglia culturale", perché sapeva che il sostegno della Chiesa gli era necessario e in un primo momento sembrò che le cose potessero proprio andare come Galilei desiderava; […] ma di lì a poco le cose cominciarono a cambiare ad opera del cardinale Bellarmino, severo custode dello spirito della Controriforma che allora dominava in Italia, ostile a ogni novità culturale che sembrasse mettere in discussione le verità tradizionali. […] Nel 1616 Galilei fu chiamato a Roma dal Sant'Uffizio che lo costrinse a rinnegare le teorie di Copernico e a non occuparsene più.

Per qualche anno Galilei obbedì, ma quando la situazione si fu calmata, egli si dedicò ancora ai problemi di fisica astronomica […] nel 1632 pubblicò il famoso *Dialogo sopra i due massimi sistemi del mondo* che provocò le ire dei gesuiti e del nuovo pontefice Urbano VIII. Nuovamente processato, Galilei fu costretto ancora a rinnegare le sue idee e fu condannato al carcere poi tramutato in domicilio forzato in una villa vicino a Firenze.

Adattato da R. Fabietti, *La storia insieme*.

- *Garzone pescivendolo: aiutante di bottega, commesso in una pescheria.*
- *Campo astronomico: l'astronomia è la scienza che studia il cielo, i pianeti e le stelle.*
- *Sant'Uffizio: il tribunale della Chiesa di Roma.*

6

in cerca dell'indipendenza

In questi anni l'attenzione degli intellettuali europei si concentra su tre "nazioni oppresse": la Grecia, occupata dai turchi; la Polonia sotto il potere russo; l'Italia in parte occupata dagli austriaci, per il resto sotto l'influenza francese.

Il Romanticismo, che esalta l'individualità non solo delle persone ma anche delle nazioni, giustifica le rivolte politiche e anche quelle sociali che esplodono nel 1848 in tutta l'Europa.

La situazione italiana interessa non solo gli intellettuali inglesi e tedeschi, ma anche i poteri economici: l'Italia è una delle grandi nazioni europee, è omogenea culturalmente, potrebbe essere un grande mercato unitario – ma è suddivisa in stati e staterelli che usano monete diverse, ci sono dogane continue, il sistema fiscale è diverso in ogni provincia… e ciò impedisce che la Rivoluzione Industriale coinvolga questo paese.

Vediamo più da vicino i cinquant'anni che segnano il ritorno, il "risorgimento" dell'Italia.

Carbonari e Mazziniani

Vincenzo Gioberti

Il Congresso di Vienna vuole "restaurare", riportare in vita il mondo pre-napoleonico. Ma le nuove idee liberali sono ormai diffuse tra i borghesi e anche tra giovani aristocratici, e l'Italia vive trent'anni di tensioni e rivolte.

LA RESTAURAZIONE

Con la parola *restaurazione* si intende l'azione dei grandi imperi (Russia, Austria, Turchia) e dell'Inghilterra di cancellare i cambiamenti portati dalla Rivoluzione Francese e da Napoleone tra il 1789 e il 1815.

È un periodo in cui si contrappongono due opposte visioni della vita e del mondo: i *conservatori* sono legati al mondo del passato, in cui la ricchezza veniva dalla terra ed apparteneva per diritto alle famiglie nobili; i *liberali* invece hanno capito i cambiamenti portati dalla rivoluzione industriale, guardano con fiducia a un futuro sempre migliore in cui la ricchezza non dipende dalla nobiltà e dalle terre ereditate, ma dal lavoro personale in un mondo senza confini.

Anche in Italia, come in tutta Europa, questa contrapposizione porterà a forti contrasti politici e sociali (cfr. p. 70).

MAZZINI E GIOBERTI

I principali pensatori politici di questi anni in Italia sono Mazzini e Gioberti.

Giuseppe Mazzini (1805-72) reagisce al liberalismo di tipo illuminista (cfr. p. 61) che aveva posto l'attenzione sui diritti, e accentuava invece i doveri delle persone. Il primo dei doveri è educare il popolo perché si ribelli contro la tirannia e contro la Chiesa, perché lotti per la propria indipendenza. Mazzini è per almeno trent'anni il maggior leader rivoluzionario in Italia: "pensiero e azione", secondo lui, dovevano essere uniti, e quindi accanto al Mazzini filosofo troviamo il Mazzini organizzatore di società segrete, governante di repubbliche rivoluzionarie, e così via.

Vincenzo Gioberti (1801-52) era contrario alle rivoluzioni violente e sosteneva un liberalismo cristiano, un po' quello che oggi definiamo "conservatorismo compassionevole". Secondo Gioberti, l'Italia doveva liberarsi delle influenze straniere e raccogliersi intorno al Papa in una confederazione di stati autonomi e non rivali. Ma era

1815 *Congresso di Vienna*
Indipendenza della Serbia dai Turchi
Moti nel Regno di Napoli

1800 d.c	1805 d.c	1810 d.c	1815 d.c	1820 d.c	1825 d.c

1815 *Moti in Piemonte e nel Lombardo-Veneto*
Rivolte in Germania, Francia, Polonia
Indipendenza del Belgio dall'Olanda

L'Europa dopo il Congresso di Vienna

Dopo la tempesta napoleonica, le grandi monarchie europee riportano la carta geografica del continente allo stato in cui si trovava prima della Rivoluzione Francese, ma la storia non può essere riportata indietro.

La situazione sembra stabile, ma sotto la calma apparente lavorano gli ideali di giustizia e indipendenza nazionale che porteranno alla grande rivolta europea del 1848 (cfr. p.72).

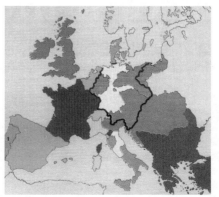

- *Accentuava: dal verbo **accentuare** rendere più evidente, mettere in primo piano.*

- *Si ribelli: dal verbo riflessivo **ribellarsi**, rivoltarsi, sollevarsi contro un'autorità.*

- *Tirannia: potere assoluto esercitato di solito con crudeltà e violenza.*

- *Annientamento: distruzione totale, annullamento.*

- *Carboneria: vedi La parola agli storici a p. 80.*

- *Insurrezione: rivolta collettiva violenta e decisa.*

Giuseppe Mazzini

fortemente contrario all'unione dell'Italia in un unico stato.
La storia del Risorgimento (il periodo tra il 1815 e il 1861 in cui l'Italia "risorge", torna in vita dopo secoli di annientamento) prese la via di Mazzini anziché quella di Gioberti.

LE SOCIETÀ SEGRETE

I liberali non possono accettare il ritorno al passato voluto dai protagonisti del Congresso di Vienna e quindi incominciano ad organizzarsi in circoli sia intellettuali sia politici – e talvolta anche di azione politica diretta, con "moti", cioè movimenti rivoluzionari, e azioni clandestine.
Tra i principali circoli di questo tipo ci fu la carboneria, nata nel sud, probabilmente ad opera di rivoluzionari francesi, ed estesa a molte città italiane negli anni Venti. Il nome deriva dal fatto che i rivoluzionari si trovavano di notte nascosti da mantelli neri come quelli dei venditori di carbone e usavano termini di quel commercio come parole chiave per riconoscersi e organizzare le azioni.
Un'altra società segreta di grande importanza fu la *Giovine Italia*, creata da Mazzini negli anni Trenta per educare il popolo e portarlo ad una insurrezione generale da cui doveva nascere l'Italia indipendente ed unita. Nel 1834

la società diviene *Giovine Europa*, con un ideale di confederazione europea che andava ad affiancarsi alla nascente federazione degli Stati Uniti d'America.

I MOTI CARBONARI E LIBERALI

I trent'anni che portano dal Congresso di Vienna alla prima guerra di indipendenza sono segnati da continue rivolte (in Italia ed Europa) in cui i borghesi liberali chiedono ai re, ai principi, ai duchi di accettare delle Costituzioni che indichino i diritti e i doveri di ogni cittadino, incluso il sovrano.
Spesso i sovrani concedono la Costituzione durante le rivolte, e la annullano poco tempo dopo, quando ricevono aiuti militari dai francesi o dagli austriaci.
La prima Costituzione deve concederla nel 1820 Ferdinando I, re di Napoli, e nel 1821 anche i Savoia la concedono in Piemonte, Liguria e Sardegna; la rivolta dilaga nei ducati emiliani e nello Stato della Chiesa, ma intervengono i francesi e tutto torna come prima. I moti continuano fino al 1844 (l'ultimo è in Calabria), ma falliscono perché manca una chiara visione politica e una collaborazione tra i vari gruppi.

Silvio Pellico

1831 *Nasce la Giovine Italia*
1831 *Moti nei ducati emiliani*
Indipendenza della Grecia dai Turchi

1825 d.c	1830 d.c	1835 d.c	1840 d.c	1845 d.c	1850 d.c

1844 *Moti in Calabria*

- *Assolutismo: regime politico in cui il re ha poteri assoluti e illimitati acquisiti non per elezione ma per diritto divino o ereditati. È usato anche come sinonimo di tirannia e dittatura.*

- *Si attuano riforme: si realizzano cambiamenti che servono a migliorare la situazione.*

- *Malcontento: senso di disagio, di insoddisfazione.*

Nel 1817 la Serbia si ribella all'Impero Ottomano, seguita nel 1832 dalla Grecia; nel 1830 in Germania e in Francia i liberali si ribellano all'assolutismo di monarchi reazionari; nel 1831 il Belgio dichiara la sua indipendenza dal Regno d'Olanda, e lo stesso fa la Polonia, ma l'esercito dello Zar riesce a schiacciare la rivoluzione.
L'unica nazione in cui pare regnare una certa calma è la Gran Bretagna, dove si attuano riforme che servono a non far esplodere il malcontento – la proibizione del lavoro dei bambini, l'abolizione della schiavitù, la riforma elettorale.

Charles Dickens: i suoi romanzi sostennero le riforme sociali in Inghilterra

Tra riforme e rivolte

*Il "Risorgimento", cioè il periodo in cui l'Italia
riprende coscienza di essere una nazione unitaria e
"risorge" dopo secoli di sottomissione agli stranieri,
non è solo un fatto politico e militare, ma anche
culturale e morale.*

IL ROMANTICISMO E L'INDIPENDENZA DEI POPOLI

Il Romanticismo europeo è caratterizzato dal fatto che
la persona, con le sue passioni e la sua unicità, vale di più
del semplice "mostro razionale e senz'anima" voluto dagli
illuministi del Settecento (cfr. p. 61); la lotta eroica vale più
del sottile ragionamento filosofico; il "tutto e subito"
prevale sulla lentezza degli accordi diplomatici.
Non solo gli individui hanno diritto alla libertà, ma anche
le nazioni, che sono come persone: uniche, irripetibili,
libere. Una delle icone del romanticismo europeo, Lord
Byron, era simpatizzante dei carbonari (cfr. p. 68) e morì
combattendo per l'indipendenza della Grecia – ma come
lui molti intellettuali europei si mossero sia per
l'indipendenza italiana, greca, serva, polacca, belga, sia per
quella delle colonie spagnole in Sud America (cfr. sotto).

IL ROMANTICISMO ITALIANO E IL RISORGIMENTO

Il Romanticismo italiano nasce più tardi di quello
europeo: di solito lo si fa risalire alla *Lettera* di Berchet,
un intellettuale milanese che esalta la poesia popolare
e politica.

Foscolo, Leopardi e Manzoni, i tre grandi del romanticismo
italiano, sono impegnati anche politicamente nell'esaltare
l'unitarietà e l'indipendenza italiana; Manzoni, in
particolare, dedica molta della sua letteratura al vizio degli
italiani di chiamare in aiuto degli stranieri, che poi la fanno
da padroni, e a descrivere le miserie di un'Italia governata
da stranieri, che impoveriscono e soffocano il popolo
italiano.
Senza il Romanticismo, filosofia di vita prima ancora che
corrente letteraria, non ci sarebbero state le condizioni
culturali per il Risorgimento.

IL CAMBIAMENTO DELL'ECONOMIA

Oltre che per ragioni filosofiche e culturali, la necessità
di cambiamento era sentita anche per ragioni economiche –
ed è di questi anni la riflessione di Karl Marx che mette
l'economia al primo posto tra i fattori che governano la
storia.
L'agricoltura diventava sempre più povera, per cui i giovani
europei (non ancora quelli italiani) si spostavano dalla
campagna alle grandi città, in cui le condizioni di vita erano

1800 d.c	1805 d.c	1810 d.c	1815 d.c	1820 d.c	1825 d.c

1816 *La Lettera di Berchet*

L'America del Sud si ribella

La Spagna e il Portogallo, nei primi anni del secolo, sono regni
napoleonici: i loro problemi interni impediscono il controllo delle colonie
del Sud America. Gli inglesi, nemici di Napoleone, si offrono subito
per "aiutare" le colonie a conquistare l'indipendenza (con l'intenzione
di portarle sotto il controllo inglese!).
Nel 1807 Buenos Aires si oppone agli inglesi e nel 1811 proclama la
sua indipendenza, e nei venti anni che seguono la maggior parte delle
colonie spagnole diventa indipendente; diversa la situazione in Brasile:
la casa regnante portoghese abbandona l'Europa e fonda l'Impero del
Brasile nel 1822.

José de S. Martin

- *La fanno da padroni: essere liberi di
  fare quello che si vuole, senza limiti.*

- *Impoveriscono: dal verbo **impoverire**,
  ridurre in uno stato di povertà.*

- *Reprime nel sangue: frena, doma in
  modo brutale e violento.*

- *Reclamare: esigere.*

Giacomo Leopardi

Alessandro Manzoni

Ugo Foscolo

spaventose: mentre in Inghilterra il Parlamento vota una serie di riforme politiche e sociali che proteggono in qualche modo i più deboli, lo Zar di Russia reprime nel sangue la rivolta dei contadini prima a Mosca e poi a Varsavia, dove ai contadini si erano uniti i borghesi per reclamare l'indipendenza; in Francia, il re conservatore Carlo X è cacciato dai ribelli e viene sostituito da Luigi Filippo, re "borghese" che porta l'industrializzazione in Francia; il Belgio industrializzato si ribella allo strapotere olandese e proclama l'indipendenza con una monarchia costituzionale e liberale; anche in Germania, divisa in decine di stati, i contadini si ribellano e sull'onda delle rivolte i borghesi ottengono costituzioni liberali.

L'ITALIA BLOCCATA

In questo panorama in movimento, l'Italia appare bloccata. I contadini continuano nella loro storia di povertà, ma i borghesi non riescono a trovare una linea unitaria; l'unico Stato che si apre alla logica industriale che arriva dall'Europa è quello dei Savoia, legato alla Francia per storia, economia e vicinanza geografica, governato da

Carlo Alberto, re di idee liberali.
Un grande passo avanti sembra apparire sull'orizzonte politico italiano con la scomparsa di papa Gregorio XVI, reazionario e conservatore, e l'elezione di Pio IX, che libera i prigionieri politici nel 1846.
Gli Austriaci capiscono che le nuove idee stanno avanzando e stringono la morsa del loro controllo su Lombardia, Veneto e Friuli, ma all'inizio del 1848 anche in Italia, come del resto in Europa, la situazione precipita: a Palermo i ribelli creano un governo provvisorio e Ferdinando II è costretto a concedere diritti costituzionali, seguito da Leopoldo II di Toscana e da Carlo Alberto di Savoia, il cui Statuto diviene il modello per tutte le costituzioni italiane.
Ma in febbraio scoppia la rivoluzione a Parigi, a marzo in Germania e a Vienna; il 17 marzo 1848 Venezia insorge e inizia l'anno della prima guerra di indipendenza.

1848 Ribellioni a Parigi, Berlino, Vienna

1825 d.c	1830 d.c	1835 d.c	1840 d.c	1845 d.c	1850 d.c

1825 Rivolta fallita a Mosca
Rivoluzioni in Francia, Germania e Polonia
Moti a Modena, Parma e nello Stato della Chiesa

1847 Nasce a Londra la Lega dei Comunisti
Il Manifesto di Marx e Engels

• *Strapotere: potere incontrastato.*

• *Proclama: annuncia pubblicamente.*

• *Stringono la morsa: diventano più rigidi, più severi.*

• *Istmo: striscia di terra molto stretta che unisce due regioni, continenti o una penisola al continente.*

• *Instaurare: stabilire, fondare.*

Emilio Zapata

Il Messico trova la sua identità

Dire "Messico" in questi anni significa un'area che va dalla California e dal Texas fino all'America Centrale; sono gli Stati Uniti qui a dettare le regole della politica, con le guerre contro il Messico (1846-48) e "colonie" come il Portorico, Panama e tutto l'istmo, e poi Cuba nel 1898.
Le guerre civili, le dittature e le invasioni si susseguono, compreso un tentativo francese di instaurare un impero messicano (1862-67), ma nel 1876 inizia la lunghissima presidenza di Porfirio Diaz, che delimita i confini della regione e dà al Messico una chiara identità laica.

La prima guerra d'indipendenza

Come si può vedere osservando le date nella colonna a sinistra, in pochi giorni la rivoluzione dilaga in tutto il continente, con una rapidità che sorprende se si pensa che le comunicazioni erano lentissime e che la divisione in una miriade di stati, ciascuno con la sua censura sulla stampa e sulle informazioni, rendeva il tutto ancor più difficile.

1848

12 gennaio	Rivolta separatista in Sicilia
22 Febbraio	Seconda repubblica francese
13 marzo	Insurrezione di Vienna
17 marzo	Repubblica di San Marco, a Venezia
18 marzo	Insurrezione di Berlino
18 marzo	Insurrezione di Milano
23 marzo	Il Piemonte dichiara guerra all'Austria
15 maggio	Stroncata nel sangue la rivolta a Napoli
9 agosto	Il Piemonte si ritira, tornano gli austriaci
10 maggio	Assemblea costituente per unificare la Germania
15 novembre	Pio IX fugge da Roma
10 dicembre	Luigi Napoleone presidente di Francia

1849

23 gennaio	Leopoldo II fugge da Firenze
9 febbraio	Repubblica di Roma, guidata da Mazzini
marzo	Fallisce la costituente tedesca
20 marzo	Carlo Alberto riprende la guerra contro l'Austria
28 marzo	Sconfitto a Novara, Carlo Alberto fugge in Portogallo
29 marzo	Vittorio Emanuele II succede a Carlo Alberto
30 aprile	Garibaldi sconfigge i francesi a Roma
maggio-agosto	Indipendenza dell'Ungheria
3 luglio	I francesi entrano a Roma
6 agosto	I Piemontesi si arrendono
24 agosto	Venezia si arrende

LE REPUBBLICHE DEL '48

In italiano si usa ancora l'espressione "succede un 48": in effetti, lo sconvolgimento della primavera del 1848 non ha simili nella millenaria storia d'Italia, dalla caduta di Roma antica fino al 1848: Venezia, che Napoleone aveva venduto a Vienna, riscopre i suoi mille anni di storia repubblicana, guidata dal figlio adottivo dell'ultimo doge, Daniele Manin;

Palermo cerca di ribellarsi, inutilmente, mentre ci riescono Firenze, sotto la guida di Montanelli, e Roma, guidata da un gruppo su cui primeggia Mazzini.

Ma tutto il resto d'Italia è in subbuglio e Carlo Alberto, re di Piemonte, decide di prendere la guida del movimento risorgimentale e dichiara guerra all'Austria, già indebolita da rivolte in Croazia, in Ungheria, a Praga.

Il marxismo

Nel 1847 a Londra alcuni francesi fuggiti alla repressione del loro paese creano la Lega dei Comunisti; ma il "comunismo" troverà la sua teorizzazione da parte di due tedeschi, anche questi fuggiti a Londra: Marx (nella foto) ed Engels, che nel 1848 pubblicano il **Manifesto del Partito Comunista**.

Negli anni Sessanta, sempre a Londra, prende forma la prima Internazionale dei lavoratori.

L'idea di fondo di questa ideologia è che il vero motore della storia sia l'economia, e quindi le rivoluzioni siano giustificate se tolgono ai ricchi ciò che hanno rubato ("la proprietà privata è un furto"), se si liberano dall'oppressione delle religioni, "oppio dei popoli", se combattono per liberarsi da ogni forma di oppressione.

Ci saranno vari tentativi di rivoluzioni comuniste nei decenni successivi (la più importante è a Parigi nel 1871), fino a quella russa del 1917.

Karl Marx

Carlo Alberto
di Savoia

TORNANO GLI STRANIERI

Il vizio italiano di chiedere aiuto agli stranieri non
scompare: Papa Pio IX si rivolge agli Austriaci nel 1848 e
poi, visto che gli Asburgo hanno forti problemi a casa loro,
chiede aiuto al nuovo presidente della repubblica francese
– il nipote di Bonaparte che poi diventerà imperatore come
Napoleone III.
I francesi assediano Roma, dove prima sono sconfitti
da un giovane generale rivoluzionario – Garibaldi, un
avventuriero più che un politico – ma poi assediano
la capitale papale e alla fine vi entrano e impongono
un loro governo.
Carlo Alberto prima vince, conquista la Lombardia ed
entra in Veneto, ma poi non sa trarre vantaggio dalla
vittoria e viene sconfitto; firma un armistizio in agosto,
torna in guerra nel 1849, ma è definitivamente sconfitto
e deve fuggire in Portogallo dove morirà in esilio.
Il primo tentativo unitario italiano di ritrovare
l'indipendenza è fallito.

Giuseppe Garibaldi

* *Miriade: grandissima
quantità.*

* *Subbuglio: confusione,
scompiglio, caos.*

* *Armistizio: sospensione
dei combattimenti.*

Charles Darwin

Il positivismo

Mentre Marx cerca di interpretare razionalmente le grandi spinte della
storia, altri intellettuali diffondono l'idea che tutto sia spiegabile
razionalmente, se solo si applicano i metodi e le forze necessari: Stuart
Mill, sempre nel 1848, pubblica **Principi di economia politica**; nel 1856
gli archeologi scoprono i resti dell'uomo di Neanderthal, che sembrano
aprire la comprensione della storia dell'uomo, e tre anni dopo Darwin
(nella foto) pubblica **Dell'origine della specie**.
Negli stessi anni esposizioni universali, scoperte scientifiche, nuove
strade e ferrovie celebrano l'idea che tutto possa andare per il meglio,
progredire indefinitamente, portando al benessere generale attraverso
le forze del libero mercato.

Il decennio di Cavour

Dopo il Quarantotto governi dei vari imperi e dei grandi stati europei (anche se a dire il vero l'Inghilterra, che aveva concesso delle riforme, non è toccata dalle rivolte) riprendono in mano la situazione con maggiore durezza di prima.
Ma per l'Italia cambia qualcosa, per effetto dei cambiamenti francesi.

L'INFLUSSO FRANCESE

In Italia i moti carbonari, le società segrete, le proteste degli intellettuali e le richieste dei borghesi (cfr. p. 67) erano caduti nel vuoto perché mancava un'organizzazione, una visione politica unitaria: ciascuno agiva per conto proprio.

Ma la Francia, dove la rivoluzione del febbraio 1848 aveva spazzato via la monarchia, entra in Italia chiamata ad aiutare il Papa e si rende conto delle potenzialità di un mercato ancora vergine, favorevole all'espansione dei prodotti francesi.

In Italia i francesi possono contare sulla gratitudine del Papa e sull'alleanza naturale dei Savoia, che sono di mentalità francese, hanno molte terre in Francia e usano il francese come lingua di corte.

Luigi Napoleone diventa presidente nel dicembre del 1848, trasformandosi presto in dittatore e poi in imperatore. Napoleone III rilancia l'economia attraverso le esportazioni (e l'Italia è il primo cliente!), sfrutta il Maghreb come fonte di cereali in modo da poter trasformare i contadini in operai, diventa arbitro dei trattati di pace dopo la guerra tra inglesi e russi, e nel 1858 invita Cavour, primo ministro piemontese, a Plombières dove si delinea una soluzione al problema dell'indipendenza italiana.

CAVOUR

Aristocratico e proprietario terriero, ma anche uomo d'affari e giornalista; innovatore nelle sue aziende agricole, che gestisce personalmente, e direttore di un giornale dal titolo *Il Risorgimento*; buon conoscitore non solo della Francia, ma anche dell'Inghilterra, del Belgio, della Svizzera, paesi in cui ha vissuto; convinto che la democrazia popolare vincerà, ma anche che i tempi non sono maturi e che bisogna procedere con prudenza nella liberalizzazione, Camillo Benso conte di Cavour è la persona giusta al momento giusto.

Entra in politica nel 1847, diventa ministro nel 1850, capo del governo due anni dopo, a 42 anni d'età, in una coalizione tra il centro-destra, rappresentata da lui, e il

---

1850 *Cavour diventa ministro e capo del governo*

1850 d.c	febbraio	aprile	giugno	agosto	ottobre
Tentativo di rivolta mazziniana a Milano Incontro Cavour-Napoleone III		*aprile: inizia la guerra*		*luglio: Napoleone III ferma la campagna I ducati del Nord e la Toscana si uniscono al Piemonte Nizza e Savoia diventano francesi*	

L'Impero britannico e il colonialismo

Per decenni il colonialismo inglese ha avuto forma commerciale più che politica, come ad esempio il dominio esercitato dalla Compagnia delle Indie nel Sud-Est asiatico; lo stesso ha fatto la Francia con i suoi protettorati in Africa del Nord, Medio Oriente e Indocina. Ma degli stati europei vittoriosi contro Napoleone solo l'Inghilterra riesce a trasformarsi in un vero Impero, durante il lunghissimo regno di Vittoria (1837-1901).

Il gioiello dell'Impero è l'India, e l'Inghilterra tenta in più occasioni di impadronirsi anche dell'Impero cinese, scatenando le cosiddette

L'800 in Cina

- *Cavour: Camillo Benso, 1810-1861.*
- *Coalizione: unione di persone, di partiti politici, o di nazioni creata allo scopo di raggiungere un obiettivo comune.*
- *Esuli: chi vive in esilio, cioè lontano dalla propria patria per ragioni politiche.*

Camillo Benso Conte di Cavour
a destra: Giuseppe Verdi

centro-sinistra, rappresentato da Rattazzi.
La sua formazione culturale lo porta naturalmente
a cercare un'intesa con la Francia.

LA SECONDA GUERRA DI INDIPENDENZA

Durante il periodo cavouriano Torino diventa il rifugio
di venti-trentamila esuli politici: è pronto quindi un esercito
di entusiasti, pronti a combattere per la libertà d'Italia.
Ma i mazziniani fanno paura – finché nel gennaio 1858
un mazziniano, Orsini, fa un attentato contro Napoleone
III e quindi fa crollare il mito di Mazzini, trasformandolo
in "terrorista".
Napoleone si rende conto che la situazione italiana è
esplosiva e organizza un incontro con Cavour, in cui si
stabilisce l'alleanza tra Francia e Piemonte.
A questo punto Cavour inizia a provocare l'Austria,
utilizzando anche Garibaldi, finché l'Impero cade nel
tranello e dichiara la guerra. Napoleone scende in aiuto
dei Savoia, sconfigge gli austriaci ma poi firma un
armistizio: la Lombardia è conquistata, ma il tri-Veneto
resta austriaco.

Ma ormai il meccanismo è in movimento, i ducati del
centro-nord si ribellano, creano repubbliche guidate non
più dai mazziniani ma dai moderati e nei primi mesi del
1860 votano la richiesta di essere accolti nel regno dei
Savoia.
Come compenso alla Francia per l'aiuto militare e politico
i Savoia cedono a Napoleone Nizza e il ducato di Savoia,
cioè la zona della Francia che confina con il Piemonte
e la Svizzera.

1860 Lincoln diventa
Presidente degli Stati Uniti

1850 d.c	1852 d.c	1854 d.c	1856 d.c	1858 d.c	1860 d.c

* *Cadere nel tranello:* essere ingannati.

* *Tri-Veneto: l'area del nord-est d'Italia che comprende le regioni Veneto, Trentino-Alto Adige e Friuli Venezia Giulia.*

* *Impadronirsi: prendere possesso con la violenza.*

* *Abolita: dal verbo abolire, annullare.*

Schiavi africani

"guerre dell'oppio", ma sono inglesi anche molti stati africani e isole
piccole ma strategiche in ogni oceano.
Malgrado nel 1833 la schiavitù sia stata abolita in Inghilterra, è proprio
il commercio degli schiavi a costituire la principale attività economica
di questi decenni – schiavi cui si aggiungono, di propria volontà, i
milioni di emigranti europei che vengono spinti verso l'America dalle
guerre e dalle carestie del Vecchio Continente, come ad esempio
quella dovuta a una malattia delle patate che dimezzò la popolazione
in Irlanda e in Polonia negli anni Cinquanta.

I Mille e il nuovo Regno d'Italia

Nel 1859 Napoleone III lascia incompiuta la liberazione dell'Italia del Nord dagli austriaci, per cui Trentino, Veneto e Friuli restano sotto l'impero; ma questa "vittoria mancata" ha acceso gli animi e la primavera del 1860 vede una delle azioni militari più incredibili della Storia: la Spedizione dei Mille.

IL SUD

Nel 1859 Francesco II diventa re di Napoli e Sicilia, cioè di tutto il Sud: era un incapace sul piano politico e una persona inconsistente su quello umano. A Napoli, dove pochi anni prima c'era stato un tentativo di insurrezione guidato nel 1857 da Carlo Pisacane, il ricordo della repressione era ancora forte, quindi lo scontento non emerse. Ma la Sicilia era pronta ad insorgere.

Fu Crispi, un mazziniano siculo, a dare queste informazioni a Garibaldi e a insistere per una spedizione armata in Sicilia, assicurandogli che altri mazziniani stavano creando le condizioni per una sollevazione popolare. In effetti, in aprile a Palermo iniziò una rivolta, soffocata dalle truppe borboniche.

GARIBALDI

All'inizio Garibaldi era stato mazziniano ed aveva avuto una vita avventurosa, in parte emigrante a New York in parte capo rivoluzionario in Uruguay. Tornato in Italia, era divenuto uno dei capi militari più apprezzati e godeva, dopo il suo allontanamento dall'estremismo di Mazzini, di un prestigio tale da poter riunire intorno al suo entusiasmo le diverse correnti, dalla sinistra liberale ai moderati di Cavour, nonché i repubblicani che avevano dato vita alle repubbliche del Quarantotto (cfr. p. 72).

Cavour si fidava poco di Garibaldi, troppo rivoluzionario e poco diplomatico, per cui non lo aiutò nell'impresa; Vittorio Emanuele II, il re di Piemonte, era invece affascinato dal suo entusiasmo, dalla sua voglia di fare, dalla sua mancanza di diplomazia, per cui impedì a Cavour di bloccare Garibaldi.

Fu così che Garibaldi raccolse un migliaio di volontari e ai primi di maggio del 1860 partì in nave da Genova per la Sicilia.

LA SPEDIZIONE DEI MILLE

La storia dei Mille divenne subito leggenda; per il popolo rappresentò il momento più eroico del Risorgimento – che per il resto era un progetto borghese.

In effetti la spedizione fu qualcosa di eccezionale: un

marzo: annessione dei Ducati di Parma, Modena e Toscana		5 maggio: parte la Spedizione dei Mille		26 ottobre: incontro di Teano		4 novembre: l'Umbria viene annessa al Piemonte	
1860 d.c	marzo	maggio	luglio	settembre	novembre		1861 d.
24 marzo: Nizza e Savoia vanno alla Francia		aprile: rivolta popolare a Palermo		11 settembre: truppe piemontesi entrano nello Stato della Chiesa		5 novembre: le Marche sono annesse al Piemonte	

L'estremo oriente

Abbiamo accennato a p. 74 ai tentativi degli inglesi di intervenire in Cina. Ciò era possibile perché l'impero si era estremamente indebolito: l'agricoltura era arretrata e non bastava per i 400 milioni di abitanti, quindi c'erano continue ribellioni di contadini, distruzioni del sistema di irrigazione, tentativi dei cristiani e dei musulmani di penetrare nell'impero o di creare province autonome...

In questa situazione di squilibrio, dovuto ai problemi del gigante asiatico, il Giappone, trova facile allargare la sua influenza alla Corea e

Caccia alla tigre in India

*I Mille
a Calatafimi*

Vittorio Emanuele II

migliaio di persone, in maggioranza del Nord (quindi senza possibilità di capirsi con i popolani siciliani, che parlavano solo dialetto), senza preparazione militare adeguata e senza strumenti, riuscì comunque a far esplodere la rivolta dei siciliani e a guidarla. Solo a luglio giunsero dal Piemonte 15.000 soldati (in realtà erano volontari poco addestrati anche questi…) e Garibaldi poté sconfiggere i Borboni, mentre il governo provvisorio di Crispi a Palermo dava il via ad una serie di riforme.

Incredibile fu la simpatia che la spedizione di Garibaldi suscitò in tutt'Europa, dove i fatti di Sicilia furono seguiti con estremo interesse, anche perché così giungeva a compimento l'idea romantica di uno stato nazionale libero anche in Italia.

L'UNITÀ D'ITALIA

Se i liberali e i romantici europei vedevano con entusiasmo l'epopea di Garibaldi, gli altri stati – che assistevano alla nascita di un nuovo, grande Regno – non erano soddisfatti,

ma non potevano far nulla; perfino i francesi, che avevano aiutato il Piemonte l'anno prima e che erano legati da sempre ai Savoia, erano preoccupati, soprattutto perché temevano che Garibaldi occupasse Roma, e che quindi il Papa li chiamasse in aiuto, costringendoli ad attaccare i Savoia.

Ma la situazione si sviluppò in maniera imprevista: i contadini siciliani si ribellarono anche ai garibaldini, ritenendo insufficienti le riforme; le preoccupazioni di Cavour fecero il resto, per cui la prima decisione fu: fermare Garibaldi. A settembre a Teano, vicino a Napoli, a ricevere da Garibaldi il regno delle due Sicilie fu Vittorio Emanuele.

Garibaldi si ritirò in un'isoletta tra la Sardegna e la Corsica. Tornò a combattere nel 1862, con l'idea di conquistare anche Roma – ma l'esercito italiano lo bloccò, in Calabria, e Garibaldi fu ferito, sparendo di fatto dalla scena politica italiana.

6 giugno: *muore Cavour*

1861 d.c	marzo	maggio	luglio	settembre	novembre	1862 d.c

14 marzo: *nasce il Regno d'Italia*

a Formosa, distruggendo la flotta cinese; le potenze europee invece costringono la Cina a due "guerre dell'oppio", obbligano cioè Pechino a riaprire le frontiere ed acquistare l'oppio dagli inglesi; la Francia conquista l'Indocina, cioè l'area del Vietnam e del Laos, oltre a molte isole del Pacifico; gli Stati Uniti colonizzano le Filippine; la Russia si allarga fino ai confini con la Cina in Asia centrale e sul Pacifico giunge fino ai confini con la Corea.

La Regina Vittoria

Il paesaggio dell'Italia romantica

Al momento dell'Unità d'Italia il nostro Paese è ancora agricolo, quindi il paesaggio non ha tracce di insediamenti industriali, se non in Lombardia e Piemonte. L'agricoltura è tradizionale, non ci sono macchinari, tutto avviene come ai tempi di Roma antica o come nel medioevo, con le braccia dei contadini e la forza degli animali.

Mentre nella prima parte del secolo dominano i pittori romantici, che preferiscono i drammatici paesaggi delle Alpi o la tristezza grandiosa delle rovine di Roma, negli anni Sessanta arriva il successo per i "macchiaioli", cioè i pittori che fanno "macchie" di colore, aprendo la strada agli impressionisti francesi.

I macchiaioli ci hanno lasciato decine di quadri in cui riproducono la campagna toscana, come in questi quadri di Fattori (in alto e al centro).

La borghesia ha la casa in città e ha la "villa" in campagna – anche se non sono più ville come quelle settecentesche ma grandi case dove accogliere parenti ed amici. In questo quadro a destra di Silvestro Lega si può vedere il paesaggio della campagna dominata dalla presenza umana.

Facciamo il punto

Riassunto guidato: completa le seguenti frasi.

La parola Restaurazione viene usata per indicare _____ . È un periodo in cui prevalgono

due visioni della vita e del mondo opposte tra loro. Da una parte _____

che _____ , dall'altra _____ che invece

_____ . Mazzini accentua _____ e in particolare

_____ . Proprio per portare avanti le sue idee Mazzini fonda negli anni Trenta

_____ che poco dopo diventa _____ . Gioberti era

invece contrario _____ e sosteneva_____ . I primi a

concedere una Costituzione sono _____ nel _____ e _____ nel _____ . I tre grandi del

Romanticismo italiano, cioè _____ , sono impegnati _____ .

A causa dell'impoverimento dell'agricoltura, i giovani _____ dove le condizioni di vita

_____ .

Mentre l'Europa è scossa da rivolte, l'Italia _____ . Un progresso sembra compiersi quando nel

1846 _____ . Finalmente nel 1848 anche in Italia _____ ,

infatti a Palermo _____ , e poco dopo Leopoldo II e Carlo Alberto _____ .

In questa situazione di sommosse e disordini, il re del Piemonte _____ . Nel frattempo Papa

Pio IX si rivolge a _____ per difendersi dai ribelli guidati da _____ . Tutti i tentativi di

rivolta, compreso quello di Carlo Alberto _____ . Dopo il 1848 l'Italia risente dell'influsso francese grazie alla

_____ e all'alleanza naturale dei _____ . Divenuto imperatore Luigi Napoleone invita

_____ per cercare una soluzione al problema della _____ . A seguito di molte

provocazioni, _____ dichiara guerra al Piemonte, che, con l'aiuto dei _____ vince e conquista la

Lombardia, ma non _____ . Nel Sud della penisola, mentre Napoli _____ , in

Sicilia la situazione è ben diversa e infatti nell'aprile 1859 a Palermo _____ . A seguito della spedizione dei Mille a

Palermo _____ .

Poco dopo, tuttavia, i contadini siciliani _____ cosicché Cavour decide di _____ .

La parola agli storici

LA CARBONERIA: ORIGINI E CARATTERI

Si ritiene oggi probabile che la carboneria italiana sia una filiazione della carboneria francese, associazione segreta nata non appena il regime napoleonico diventò dispotico e che raccolse i suoi adepti fra i malcontenti di ogni sorta [...]. Tale provenienza sarebbe documentata dal fatto che gli statuti della carboneria italiana sono spesso traduzione letterale di quelli francesi.

I carbonari avevano un loro gergo, tratto dal mestiere del carbonaio appunto. Avevano cerimonie [...] per l'iniziazione, avevano parole d'ordine, giuramenti, segni di riconoscimento, simboli, ecc. Si parlava di lupi, boschi, asce, fornelli; i luoghi di riunione erano detti vendite, buoni cugini i soci; veneravano San Teobaldo, carbonaio, come protettore. Non bisogna pensare che costituissero una organizzazione rigida, o anche soltanto molto centralizzata, come siamo soliti oggi concepire l'organizzazione di una società o di un partito. Le vendite sorgevano solitamente per iniziativa di singoli; in seguito prendevano contatto con altre persone e si associavano.

Il regime stesso di segretezza e l'importunità poliziesca rendevano non facile il lavoro di organizzazione. Mancava l'unità disciplinare e l'unità programmatica: lo sfondo comune dei sentimenti e delle idee liberali e nazionali si colorava in mille forme diverse presso i singoli gruppi, le singole regioni, le singole vendite. Nel Lombardo-Veneto si voleva la cessazione del dominio austriaco; nello Stato pontificio la partecipazione dei laici al governo dello Stato; nella Sicilia l'indipendenza dal Napoletano; nel Napoletano la restaurazione borbonica prima, l'attenuazione del regime assoluto poi; e altro altrove. Se si vuole trovare uno scopo comune, si può dire che tutti tendevano a un regime più liberale e miravano, come a massimo risultato, a ottenere una costituzione.

Adattato da F. Moroni, *Corso di storia*.

1860: LA SPEDIZIONE DEI MILLE

Nella prima settimana di maggio c'era a Genova un'insolita animazione: circolavano nella città numerosi giovani venuti ad arruolarsi dalle varie regioni [...]. Nella notte fra il 5 e il 6, mentre la maggior parte dei volontari era raccolta nei pressi dello scoglio di Quarto, alcuni di essi [...] s'impadronivano di due navi [...] che poche ore dopo salpavano per la Sicilia con a bordo 1.070 garibaldini [...]. Si trattava di volontari di ogni età e di ogni ceto sociale, male armati e peggio ancora equipaggiati, ma ricchi di entusiasmo e di speranza [...]. Tra essi [...] c'erano anche numerosi stranieri, la cui presenza trasformava la spedizione in un'espressione della solidarietà non solo nazionale ma anche europea. Mille uomini, per la verità, erano piuttosto pochi, ma era stato lo stesso Garibaldi a non volerne di più convinto come era che «qualora il popolo meridionale non si fosse sollevato e unito a loro, anche una spedizione dieci volte più numerosa sarebbe stata insufficiente» per conquistare un regno, difeso da un esercito di 124.000 uomini e da una flotta di 120 navi. Giunto sulla costa Toscana, Garibaldi sbarcò alcuni volontari per far credere che l'impresa era diretta a Roma, [...] riprese [quindi] il mare e sfuggendo alla flotta borbonica [...] l'11 maggio giunse a Marsala, dove poté sbarcare con una certa tranquillità grazie ad alcune navi inglesi da carico, la cui presenza in quel porto impedì ai borbonici di aprire efficacemente il fuoco. Tre giorni dopo da Salemi, [Garibaldi] lanciava un proclama alla popolazione dichiarando di assumere la dittatura in nome di Vittorio Emanuele.

Adattato da A. Brancati, *Fare storia*.

- *Dispotico*: **tirannico, che impone con la forza il proprio volere e le proprie decisioni.**
- *Adepto*: **nuovo seguace, membro di una setta o di una società.**
- *Statuti*: **insieme di leggi che stabiliscono l'organizzazione di uno stato o di una società.**
- *Iniziazione*: **cerimonia con la quale si entra ufficialmente a far parte di un setta o di una società segreta.**
- *Veneravano*: **adoravano.**
- *Sorgevano*: **nascevano.**
- *Importunità poliziesca*: **il fatto che la polizia controllasse con molta attenzione.**
- *Cessazione*: **fine.**
- *Arruolarsi*: **entrare nell'esercito.**
- *Salpare*: **prendere il largo, partire (detto di una nave).**

7

dall'unità alla grande guerra

"Fatta l'Italia, bisogna fare gli italiani", diceva Cavour. In questo mezzo secolo, che completa l'unificazione italiana, non solo si fanno gli "italiani", ma si costruisce un nuovo tipo di italiani: da un lato, nascono le industrie, i contadini diventano operai, nascono quindi movimenti sindacali e socialisti; dall'altro, si afferma una nuova borghesia, fatta di insegnanti, impiegati nella Regia burocrazia, militari, magistrati, che desiderano ordine e disciplina.

L'Italia viene unita da nuove strade e dalle grandi ferrovie nord-sud e si illude di essere diventata una potenza europea – e come tutte le potenze, cerca di costruirsi un impero coloniale.

Ma tutto finisce nella prima guerra mondiale, uno dei macelli più crudeli della storia, che vedrà la scomparsa dei tre grandi imperi continentali: Russia, Turchia e Austria.

La questione meridionale

Giovanni Verga

Scena dalla **Cavalleria Rusticana**, racconto di G. Verga musicato da P. Mascagni: Turiddu torna cambiato dai due anni in cui ha fatto il servizio militare.

Al momento dell'Unità, nel 1861, la più grande città d'Italia è Napoli, la capitale dei Borboni: ha 450.000 abitanti, contro i 200.000 di Roma, Palermo, Milano e Torino.
Ma è la capitale di un territorio in rovina e depressione.

LE ILLUSIONI DEL SUD

I contadini siciliani, che si erano illusi di essere tolti dallo stato di quasi-schiavitù in cui vivevano, si ribellarono a Garibaldi, dopo solo tre mesi dal suo arrivo in Sicilia, e un gruppo dei Mille dovette far fuoco su di loro.
Il problema meridionale cominciava ad esplodere.
In realtà tutti si illudevano che le cose sarebbero cambiate presto, ma la storia non andò in questa direzione.
Anzi: molta dell'aristocrazia e della borghesia del sud diede il primo, grande esempio della maggior malattia politica degli italiani, il trasformismo. "Trasformismo" significa passare da un campo all'altro, saltare sul carro del vincitore, o come spesso si dice "voltare gabbana", che vuol dire "cambiare giacca": prima si usava la giacca bianca dei Borboni, poi per qualche mese il fazzoletto rosso dei garibaldini, e dopo un anno quello azzurro dei Savoia. C'è un grandioso romanzo, *Il gattopardo* di Giuseppe Tomasi di Lampedusa, che ben descrive questi tempi in Sicilia: il Principe di Salina teorizza che se si vuole che non cambi nulla bisogna che – almeno in apparenza – cambi tutto.

Questo fu ciò che successe nel Sud: in apparenza cambiò tutto, scomparve il secolare Regno delle Due Sicilie, ma la classe dominante continuò a dominare, i poveri divennero ancora più poveri...

LO STATO ACCENTRATO

I Savoia erano culturalmente dipendenti dalla Francia: nel momento in cui si costruiva il Regno d'Italia, per loro fu naturale imitare il modello francese di uno stato accentrato, senza nessun reale autogoverno a livello locale.
Questo problema fu poco sentito al nord, dove c'erano strade e ferrovie e c'era la capitale, Torino; nel 1865 la capitale si fu spostata a Firenze (chiaro segno di avvicinamento a Roma, che diventerà capitale nel 1871), e quindi anche in questo caso la distanza fisica tra le province e la capitale, il centro amministrativo, era ridotta.
Ma il Sud era fisicamente e culturalmente lontano da queste capitali, per cui lo Stato veniva visto solo come un ente violento che:

1860 d.c	1861 d.c	1862 d.c	1863 d.c	1864 d.c

1861 Estese a tutto il Regno le leggi piemontesi

1862 L'esercito italiano blocca Garibaldi in Calabria

1860 agosto: fucilati a Bronte alcuni contadini siciliani ribelli

1862 Il governo Farini inizia la lotta ai briganti
in USA, Lincoln abolisce la schiavitù
1862 Legge straordinaria per reprimere il brigantaggio

L'emigrazione dall'Europa

Nell'Ottocento la popolazione mondiale cresce del 71%; è soprattutto l'Europa, dove le condizioni di vita sono migliorate (basti pensare all'anti-vaiolo), a crescere vertiginosamente: quindi non c'è cibo per tutti, alcuni devono andarsene. Sono 70 milioni gli europei che vanno verso l'America e l'Australia. L'unico Stato che vede pochi emigranti è la Francia, dove fin dall'Ottocento si promuove l'informazione sul controllo delle nascite.
Dall'Italia se ne vanno, in questo secolo, 16 milioni di persone: addirittura, nel solo anno 1913, saranno 873.000 gli italiani che vanno verso l'America, dividendosi paritariamente tra Nord (soprattutto la costa atlantica) e Sud (soprattutto Argentina e Brasile meridionale).

- *Teorizza: formula delle teorie, delle ipotesi.*

- *Stato accentrato: uno stato in cui tutto il potere anziché essere distribuito nelle varie regioni è tutto detenuto dal governo centrale.*

- *Sottraendo: togliendo.*

- *Sovversivo: rivoluzionario.*

- *Addestramento: allenamento, preparazione.*

- *Ricattando: dal verbo **ricattare**, costringere qualcuno a pagare o a concedere favori attraverso le minacce.*

• emetteva leggi incomprensibili, pensate per un paese che stava incamminandosi verso l'industrializzazione, processo del tutto assente al Sud, che rimaneva agricolo;

• pretendeva di imporre l'istruzione obbligatoria, sottraendo ragazzini al lavoro dei campi e importando dal Nord maestri e cultura – quanto di più sovversivo si potesse immaginare, tant'è che in Sicilia i maestri furono accolti a fucilate;

• toglieva i ragazzi dalla campagna nel massimo del vigore fisico per mandarli nel lontano Nord d'Italia a fare il servizio militare – e quando tornavano, come Turiddu, il protagonista della *Cavalleria rusticana*, non erano più i buoni ragazzi di prima.

IL BRIGANTAGGIO

Finita la conquista militare nel 1861 e sconfitto l'esercito garibaldino che voleva conquistare Roma, nel 1862, molti soldati decisero di non tornare a casa a sudare nei campi per arricchire i padroni, ma pensarono di usare il loro addestramento militare e le loro armi per vivere rapinando, assalendo piccole città, ricattando i ricchi proprietari terrieri.

Il Regno reagì prontamente: nel 1863 c'erano 120.000 soldati, preferibilmente del nord, che combattevano il brigantaggio, in una sorta di guerra civile che pose le fondamenta per la diffidenza dei cittadini verso lo Stato, sentito come estraneo e violento – diffidenza che nel Sud è ancora presente e sulla quale vive la mafia.

Nel 1865 gran parte dei briganti era stata eliminata, ma la Destra al potere non riuscì a fare le riforme che servivano per il Sud: Napoleone aveva iniziato la distribuzione delle terre statali e di quelle della Chiesa ai contadini, e i Borboni avevano in qualche modo proseguito, per evitare rivolte disastrose: il Regno d'Italia si disinteressò del problema e il Sud si trovò, se possibile, più povero di prima; i più forti e intraprendenti emigrarono in America, gli altri restarono in regioni con poche strade, ancor meno ferrovie, nessuna industrializzazione.

La fatica e la miseria quotidiana dei contadini del Sud, all'ombra delle rovine della passata grandezza, in un quadro di Rinaldi.

1865 Nuovo codice civile italiano valido per tutto il Regno
1865 Il brigantaggio viene sconfitto

| 1865 d.c | 1866 d.c | 1867 d.c | 1868 d.c | 1869 d.c |

1865 Introdotta la moneta unica italiana, la lira

Lo sviluppo industriale

Nella seconda parte del secolo l'industria cambia totalmente: se la prima Rivoluzione Industriale era stata basata sul ferro e aveva come combustibile il carbone (e quindi aveva privilegiato le regioni con giacimenti fossili), dagli anni Settanta in poi inizia l'uso dell'energia elettrica, che può essere trasportata con facilità lontano da dove è stata prodotta, e inizia la tecnologia chimica, che rivoluzionerà – con i derivati del petrolio, la plastica, ecc. – la storia industriale del mondo. Si ripete su scala europea quello che era successo in Inghilterra: i contadini, che sebbene poveri avevano comunque di che vivere, diventano operai, totalmente dipendenti dal potere industriale.

• *Brigantaggio: l'attività dei briganti cioè dei malviventi, criminali, che assaltano la gente per rapinarla. Vedi anche La parola gli storici a p. 94.*

• *Diffidenza: mancanza di fiducia.*

• *Intraprendenti: dotati di coraggio e inventiva.*

La Torre Eiffel a Parigi

La conquista di Roma e del Nord-Est

Il Palazzo del Quirinale, prima sede del Papa, poi reggia dei Savoia, oggi residenza del Presidente della Repubblica

Nei primi anni del Regno, oltre alla questione meridionale ci sono altri due grandi problemi: quello del ruolo di Roma, la naturale capitale italiana che è rimasta indipendente come Stato della Chiesa, e quello del Nord-Est, che è ancora in mano austriaca.

LA QUESTIONE ROMANA

Cavour aveva impostato il nuovo stato secondo un principio chiarissimo: "libera Chiesa in libero Stato" – principio che oggi ci pare ovvio, ma che era assolutamente rivoluzionario per l'Italia di quei tempi.

La sinistra, che trovava in Garibaldi il suo simbolo, voleva occupare Roma e porre fine immediata al potere temporale del Papa; ma la Destra, che era al governo, non poteva permettersi di attirarsi l'odio della borghesia e di rischiare incidenti internazionali.

Papa Pio IX, che alcuni avevano salutato come innovatore nel 1846, reagì violentemente al pericolo abbandonando ogni atteggiamento liberale e condannando il nuovo Stato. Mazzini e Garibaldi, nel 1867, provarono a organizzare un esercito per prendere Roma, ma le truppe francesi li bloccarono.

Solo nel 1870, quando la Francia non poteva intervenire in Italia perché era impegnata nella guerra con i prussiani, l'esercito italiano conquistò la capitale: il Papa si ritirò in Vaticano e il suo Palazzo, il Quirinale, divenne la reggia

dei Savoia. Oggi è la sede della Presidenza della Repubblica. Si trattò di una forte spaccatura per il nuovo Regno: i cattolici, in pratica, si ritirano dalla vita politica, fecero mancare non solo i loro voti ma anche la partecipazione attiva, privilegiarono le scuole religiose piuttosto che quelle statali, furono diffidenti verso il liberalismo (condannato da Pio IX nel 1864) e quindi verso il mondo industriale; per anni il Papa si considerò prigioniero.

LA TERZA GUERRA DI INDIPENDENZA

Il Regno d'Italia aveva cercato ogni occasione per contrapporsi agli austriaci, che avevano in loro possesso il "Sud Tirolo", cioè le province di Trento e Bolzano, nonché il Veneto e il Friuli. L'occasione buona arrivò nel 1866, quando la Prussia (nemica dell'Austria, e quindi naturale amica dell'Italia) dichiarò guerra all'Austria per alcuni problemi che riguardavano la Danimarca. L'Italia, alleata della Prussia, dichiarò guerra all'Austria, costringendola a combattere su due fronti, a nord contro

---

Una scena da *Via col vento*, ambientato durante la guerra civile americana.

La guerra civile americana e la conquista del West

Lincoln fu eletto Presidente degli Stati Uniti nel 1860, esponente degli Stati in via di industrializzazione che non avevano bisogno di schiavi ma di operai. Il progetto di abolire la schiavitù, tuttavia, non fu accettato dagli stati del Sud, che vivevano di cotone per il quale la mano d'opera a basso costo era essenziale. Come conseguenza, undici stati del sud si staccarono dalla federazione. La guerra civile durò cinque anni, fu distruttiva e ci vollero anni per ricostruire le infrastrutture principali.

L'abolizione della schiavitù liberò i neri, ma li rese ancora più poveri: non avevano più un padrone – che almeno li nutriva – e si trovavano a vendere la loro forza fisica per pochi centesimi; lentamente, lungo il Mississippi, risalirono a nord dove le industrie stavano nascendo e nacquero i tristi ghetti neri di Chicago, Detroit, New York.

---

i tedeschi e a sud contro gli italiani. In realtà in quest'ultimo fronte le cose andarono bene per gli austriaci, che si trovarono di fronte un esercito italiano disorganizzato e composto di soldati che venivano da tutte le regioni e neppure si capivano tra di loro – ma alla fine l'Austria fu sconfitta, e quindi il Veneto e il Friuli (senza la parte costiera, cioè la zona di Trieste), che erano stati venduti agli austriaci nel 1797 da Napoleone, furono tolti agli Asburgo ed entrarono a far parte del Regno d'Italia.

GARIBALDI OBBEDISCE

La figura ormai leggendaria di Garibaldi costituiva un grande problema per il nuovo Regno. Sebbene bloccato dagli italiani in Calabria nel 1862 e poi dai francesi vicino allo Stato della Chiesa nel 1867, la sua popolarità era alta e la sua capacità militare era superiore a quella degli altri generali in servizio nell'esercito.

Nel 1866, con un corpo militare in parte volontario, Garibaldi attraversò le Alpi tra Lombardia e Trentino e sconfisse gli austriaci a Bezzecca, ma nel momento in cui fu firmato il trattato di pace, che lasciava il Sud Tirolo all'Austria, a Garibaldi fu ordinato di lasciare ciò che aveva conquistato.

È celebre il telegramma di risposta, con una sola parola, "obbedisco", inviato da Garibaldi a Vittorio Emanuele II. In realtà Garibaldi non aveva intenzione di obbedire, visto che l'anno dopo, contro ogni promessa internazionale fatta

dai Savoia, cercò di marciare su Roma, come abbiamo visto sopra.

Definitivamente sconfitto sul piano politico, si ritirò in "esilio" nell'isoletta di Caprera, sulla costa della Sardegna, ed effettuò molti viaggi presso le principali corti europee, accolto come un eroe romantico.

Papa Pio IX

Giuseppe Garibaldi

1867 *Secondo tentativo di Garibaldi di marciare su Roma*

1871 *Roma capitale del Regno d'Italia*

1867 d.c	1868 d.c	1869 d.c	1870 d.c	1871 d.c

1867 *Guerra franco-prussiana*
1867 *L'esercito italiano entra a Roma*

Con loro, lungo il Mississippi, salì anche la musica popolare, il jazz, che avrebbe cambiato la storia musicale del XX secolo. Oltre alla direttrice Sud-Nord, che scorreva lungo i grandi fiumi, ce n'era un'altra ancora più importante, quella Est-Ovest: si trattava non solo di conquistare terre coltivabili (e questo comportò il genocidio dei nativi), ma anche di creare un percorso tra Atlantico e Pacifico, visto che il Canale di Panama verrà costruito solo all'inizio del Novecento. Nacque così la ferrovia che da New York, attraverso S. Louis, giungeva a S. Francisco

Operai al lavoro per costruire la ferrovia che attraversa l'America.

- *Spaccatura: rottura, frattura, disaccordo.*

- *Fronte: linea lungo la quale avvengono i combattimenti tra due eserciti nemici.*

- *Esponente: rappresentante.*

- *Genocidio: uccisione di massa di un intero gruppo etnico.*

La via italiana all'industrializzazione

Il nuovo Regno aveva di fronte a sé il compito di riorganizzare la produzione in Italia; una delle prime scelte fu quella di unificare l'amministrazione e il codice civile, nel 1865, seguita da quella di imporre una moneta unica, la lira, nel 1867. Ma l'impresa di riequilibrare una penisola lunga, molto differenziata, con storie e vicissitudini diverse per secoli, era superiore alle forze sia della Destra, che governò per quindici anni, sia a quelle della Sinistra e dei Liberali che ebbero il governo a cavallo tra i due secoli.
È un impresa non ancora compiuta oggi, all'inizio del XXI secolo...

IL NORD-OVEST

Uno dei grandi problemi del nuovo Regno balzò subito agli occhi: mentre Inghilterra, Francia, Germania e Stati Uniti hanno accumulato forti capitali, sia attraverso il colonialismo e il commercio, sia con le nuove scoperte scientifiche e tecnologiche, l'Italia e la Russia (che era in condizioni simili) sono ancora economie agricole, ma l'agricoltura non produce capitali investibili con rapidità: la terra è sì un grande capitale, ma è lì, ferma, immobile.
Il Nord-Ovest, cioè Piemonte, Lombardia e Liguria, è l'unica area in cui ci sia una forte attività commerciale con l'estero (soprattutto Francia, Svizzera e Germania), quindi ci sono capitali disponibili, che permettono l'inizio dell'industrializzazione, soprattutto in due settori: la tessitura e il trattamento dei metalli. Alla fine dell'Ottocento a Torino nasce la Fabbrica Italiana di Automobili a Torino (FIAT), in Lombardia c'è l'Associazione Lombarda dei Fabbricanti di Auto (ALFA). Nascono anche acciaierie per costruire le ferrovie e le carrozze dei treni e per costruire le nuove navi necessarie per i commerci, per l'emigrazione e per la nuova politica coloniale.

IL NORD-EST

Mentre il Nord-Ovest aveva iniziato la sua industrializzazione e aveva ammodernato anche le sue tecniche agricole, il Nord-Est era restato nell'Impero Austro-Ungarico con funzione di serbatoio di grano; la struttura economica era rimasta contadina, legata alla terra, disseminata in migliaia di piccoli paesi dove il parroco era, di solito, il solo che sapeva l'italiano ed era in grado di scrivere.
L'unica industria impiantata nel Veneto era stata quella della seta, ma anche in questo caso non si trattava di grandi stabilimenti industriali, ma di seterie sparse vicino alle colline dove crescevano i bachi della seta.
La povertà era forte e dagli anni Ottanta fino alla guerra oltre un milione di veneti e friulani emigrano in America e in Europa.
Questa struttura diffusa anziché accentrata, con un'industria familiare anziché basata su grossi capitali, fortemente legata al proprio paese ed al parroco che sa tutto di tutti e garantisce le banche sull'onestà dei suoi parrocchiani, resterà viva nel Nord-Est: un secolo dopo,

1877 *Muoiono Vittorio Emannuele II e Pio IX*

1874	1876	1878	1880	1882	1884	1886

1876 *Il bilancio dello stato per la prima volta in pareggio* **1878** *Fondazione delle acciaierie di Terni*

Berlino

La nascita del Reich

Quando nasce il Regno d'Italia, nel 1861, quello di Prussia è ancora composto da due blocchi separati: a ovest le regioni lungo il confine con Belgio e Olanda, a est la Prussia, da Berlino alla Russia, incluso il nord della Polonia.
Il fallimento delle rivolte liberali del 1848 ha portato al potere una classe conservatrice. Nel 1862 diviene cancelliere Bismark, il cui progetto è di unire il mondo tedesco sotto la Prussia – il che si scontra con la forza dell'Impero Austro-Ungarico e porterà alla guerra del 1866, in alleanza con l'Italia che riceverà il Veneto come compenso.

Il Quarto Stato di Pelizza da Volpedo

nella seconda parte del Novecento, gli consentirà di proporre un modello di sviluppo detto "post-industriale" e di divenire una delle regioni più ricche e produttive del mondo.

IL MOVIMENTO OPERAIO E IL PARTITO SOCIALISTA

L'industrializzazione comporterà, in Italia come nel resto d'Europa, la trasformazione di molti contadini in operai; questi lavoravano in luoghi comuni, avevano problemi comuni, e quindi facilmente comprendevano la necessità di creare forme di sindacato.

Nel 1864 a Londra era nata la prima Internazionale dei lavoratori, e nel 1868 nasce la confederazione delle *trade unions*; nel 1882 a Milano si crea il Partito Operaio Italiano, nascono le prime Leghe operaie, Filippo Turati

importa le idee socialiste di Marx; nel 1894 a Milano, Torino e Piacenza sorgono le prime Camere del Lavoro, luoghi di incontro dei sindacati operai.

Nel 1890 si celebra per la prima volta il 1° maggio come festa del lavoro; nel 1891 Papa Leone XIII pubblica *Rerum Novarum*, un importante testo sulla dignità dei lavoratori; nel 1892 a Genova nasce il Partito Socialista Italiano e nel 1906 si costituisce la CGL, Confederazione Generale del Lavoro. Negli anni seguenti ci saranno alcune sommosse di operai che protestano per le condizioni di lavoro, e spesso saranno represse, anche brutalmente, dalla polizia e dall'esercito.

1891 *Leone XIII pubblica la Rerum Novarum*
1899 *Fondata la FIAT*
1902 *Legge sul lavoro minorile*

| 1888 | 1890 | 1892 | 1894 | 1896 | 1898 | 1900 | 1902 |

1890 *Prima festa del 1° maggio, giorno dei lavoratori*
1892 *Fondazione del Partito Socialista Italiano*
1898 *Disordini per il carovita a Milano, con repressione da parte dell'esercito*

Otto Von Bismark

Nel 1870 Bismark sconfigge Napoleone III (e gli italiani ne approfitteranno per entrare a Roma) e acquista l'Alsazia, cioè la valle del Reno. Così nel 1871 nasce il Reich, il secondo Impero Tedesco, che include anche gli stati germanici centrali e il grande Regno di Baviera, al Sud.
Il Reich sarà dominato per decenni da Bismark, conservatore e autoritario, capo di un governo che non deve rendere conto al Parlamento, fautore della Triplice Alleanza tra i tre imperatori d'Austria, Prussia e Russia, che durerà fino alla prima guerra mondiale.

- *Vicissitudini: avvenimenti, esperienze di vita.*
- *Balzò subito agli occhi: fu subito chiaro, evidente.*
- *Accumulato: dal verbo accumulare, ammassare, immagazzinare, mettere da parte.*
- *Tessitura: fabbricazione di tessuti, stoffe.*
- *Trattamento dei metalli: lavorazione dei metalli.*
- *Ammodernato: reso moderno.*
- *Disseminata: diffuso, sparso in modo casuale.*
- *Sindacato: associazione di lavoratori il cui scopo è difendere i loro diritti.*
- *Fautore: sostenitore convinto.*

L'Italia giolittiana

Quintino Sella, artefice del risanamento economico della Destra.

Nel primo periodo del Regno d'Italia va al governo la Destra, che nel 1876 raggiunge il pareggio del bilancio, producendo una forte recessione economica; in pochi anni scompaiono i protagonisti del Risorgimento (Mazzini nel 1872, Vittorio Emanuele II e Pio IX nel 1878, Garibaldi nel 1882) e giunge al potere una nuova classe dirigente, la Sinistra, dando il via a una nuova ondata di trasformismo (cfr. p. 82).

LA RIVOLUZIONE PARLAMENTARE

Nel 1876 la Sinistra arriva al potere con Depretis, che lancia alcune riforme economiche e sociali; tra le più importanti, l'istruzione obbligatoria, l'allargamento del diritto di voto, l'abolizione della tassa sul "macinato", cioè sulla trasformazione del grano in farina, che aveva dato origine a molte proteste popolari; sul piano economico, il rilancio viene attuato con una serie di opere pubbliche, soprattutto per la viabilità.

L'Italia è ancora spaccata per la questione religiosa (cfr. p. 84), e l'assenza politica dei cattolici porta ad un forte anticlericalismo dei governi e della classe dirigente, soprattuto nei periodi in cui è al governo Crispi.

LA POLITICA COLONIALE

Tutti i grandi stati europei hanno colonie, che servono sia per avere materie prime, sia per trovare spazio di allargamento per la popolazione europea.

Anche l'Italia vuole entrare nel gruppo delle potenze coloniali, e sostiene esplorazioni e missioni in Africa orientale: nel 1882 acquista una base marittima, nel 1885 inizia la "campagna d'Africa", che porta ad una progressiva rottura con la Francia e a un consolidamento dei rapporti con la Germania, che non ha interessi in quelle parti dell'Africa.

Nel 1889 l'Italia stabilisce un protettorato sull'Abissinia, cui segue la guerra d'Etiopia, che porta alla conclusione del primo tentativo coloniale italiano.

IL PERIODO GIOLITTIANO

Liberale, colto, abile, Giolitti è la figura di spicco nei vent'anni a cavallo tra i due secoli.

È un periodo segnato da eventi drammatici: il suo primo governo, nel 1892-93, è travolto da uno scandalo di speculazioni bancarie; mentre Giolitti attende una nuova occasione, l'Italia passa attraverso la sconfitta in Africa, i cento morti di Milano quando l'esercito spara sui dimostranti, l'assassinio nel 1900 di Umberto I (succeduto a Vittorio Emanuele II nel 1878).

Ma con il nuovo secolo cominciano a vedersi i frutti della politica di costruzione di infrastrutture, l'economia cresce; la cultura italiana si apre al mondo esterno:

L'Impero austro-ungarico

Dopo le rivolte del 1848, l'Austria si chiude nel suo conservatorismo cattolico, rifiuta la modernizzazione, sopravvive a se stessa. Il fatto di includere tedeschi, ungheresi, cechi, slovacchi, sloveni, croati, serbi, italiani non dà più la forza della multiculturalità, che trovava la sua sintesi nello splendore artistico, culturale ed economico di Vienna, ma si trasforma in un peso.

Il vecchio ordine viene scardinato dal suo interno: Freud re-inventa la psicologia; Mahler stravolge il tradizionale concetto di musica; Klimt, Schiele, gli architetti e i pittori della secessione rompono con il passato – ma la struttura politico sociale non tiene il passo, e l'Impero si avvia alla fine ingloriosa nel 1918.

Klimt
Le tre età della donna.

* **Anticlericalismo:** *opposizione al clero, alla Chiesa.*
* **Consolidamento:** *rafforzamento.*
* **Protettorato:** *forma di tutela e controllo politico e militare che uno stato ha su d'un altro.*
* **Travolto:** *sconvolto.*
* **Speculazioni:** *attività commerciali rischiose, traffici.*
* **Infrastrutture:** *insieme di impianti e complessi (strade, ferrovie, porti, ecc.) che consentono lo spostamento delle merci.*
* **Puccini:** *(Giacomo, 1858-1924): uno dei grandi dell'opera lirica italiana.*

Giacomo Puccini

La locandina per Bohème di G. Puccini.

Puccini ambienta *Bohème* a Parigi, *La ragazza del West* in America, *Madama Butterfly* in Giappone, scrittori come gli "scapigliati" e poeti come Pascoli sono perfettamente al passo con le correnti europee.

Giolitti diventa ministro dell'Interno del 1901 e poi capo del governo nel 1903: pur indebolendo i sindacati fa una buona politica sociale, sostiene gli emigranti (sapendo che invieranno valuta pregiata in Italia…), concede il voto a tutti i cittadini maschi (1912), riprende i contatti con i cattolici, che nel 1913 rientrano nella vita politica italiana. La grande assente anche nei governi Giolitti è la politica per lo sviluppo del Mezzogiorno, dove mafia e camorra vengono tollerate e spesso usate dallo Stato.

Nel 1911 Giolitti trova l'occasione per dichiarare guerra all'Impero turco e conquista la Libia e alcune isole dell'Egeo, riprendendo una forte politica coloniale.

LA CRISI SI AVVICINA

Nel 1907 la recessione mondiale colpisce le economie europee; ma mentre Francia, Germania e Inghilterra si riprendono subito, in Italia diventano evidenti le carenze cui la Sinistra non ha saputo dare risposta, dopo aver rilanciato l'economia con la politica delle opere pubbliche: il bilancio è in forte passivo, i capitali finanziano il debito dello Stato anziché le imprese; il sistema bancario è inefficiente e corrotto; contadini e operai non hanno reddito tale da sostenere i consumi e quindi le aziende non si sviluppano; il Sud rimane un enorme peso economico e lo Stato accentratore (cfr. p. 82) vi mantiene un'enorme e costosa burocrazia amministrativa e di ordine pubblico; la politica coloniale impone alti costi e ancora non può dare risultati economici positivi…

In queste condizioni i disordini e le dimostrazioni di protesta crescono fino a culminare nella "settimana rossa" in Emilia e nelle Marche, dove si protesta per il carovita, nel 1914, pochi giorni dopo la caduta del governo Giolitti.

Umberto I

Giovanni Giolitti

1896 Fine del tentativo coloniale in Africa orientale	**1900** L'esercito spara sui dimostranti a Milano **1900** Umberto I assassinato a Monza; gli succede Vittorio Emanuele III

1912 Il diritto di voto esteso a tutti i cittadini maschi
1912 Conquistata la Libia e alcune isole dell'Egeo

1895 d.c   1900 d.c   1905 d.c   1910 d.c   1915 d.c

1902 Giolitti torna al potere, che terrà fino al 1914

1913 I cattolici rientrano nella vita politica
1914 Giolitti lascia il governo
1914 "Settimana rossa" di protesta popolare contro il carovita

Mosca, la Piazza Rossa

• Pascoli: (Giovanni, 1855-1912) autore di poesie simboliste e "decadenti".

• Carenze: mancanze.

• Reddito: guadagno, stipendio, salario.

• Carovita: rialzo dei prezzi dei generi di prima necessità (pane, acqua, abbigliamento, ecc.).

L'Impero russo

Gli zar (versione italiana di Csar, contrazione del latino Caesar) dominano dalla Russia, la Bielorussia, l'Ucraina e le tre repubbliche baltiche (Estonia, Lettonia, Lituania), fino al Pacifico, cercando anche una espansione verso l'Adriatico e la Turchia. Il regno di Alessandro II (1855-1881) tenta di attuare delle riforme, ma la realtà medievale delle campagne non le accetta. Nelle città si impongono gli intellettuali anarchici e quelli bolscevichi, finché scoppia una rivoluzione nel 1905, cui fa eco una guerra contro il Giappone.

Giunto alla guerra spaccato socialmente, diviso sul problema delle nazionalità, l'impero crolla nel 1917 per effetto della rivoluzione comunista guidata da Lenin e si trasforma nell'Unione Sovietica.

L'Italia in guerra

*Nel 1914 scoppia la prima guerra mondiale,
ma l'Italia resta neutrale: dovrebbe entrare a fianco
della Germania, ma entrerà l'anno dopo a fianco
delle potenze occidentali, Francia e Inghilterra.*

LE RAGIONI DEL CONFLITTO

Uno degli assi portanti della politica estera italiana durante
i governi della Sinistra e di Giolitti era stata l'alleanza con
l'Austria e la Germania. Nel 1914, a Sarajevo, un anarchico
uccide l'Arciduca d'Austria e la situazione precipita: la
Serbia vuole espandersi nei Balcani, l'Impero austriaco è
legato a modelli sorpassati (cfr. p 88), la Germania si sente
superpotenza e preoccupa Francia e Inghilterra, che hanno
stretto una "intesa cordiale" per dividersi il mondo e tenere
sotto controllo l'espansionismo tedesco, la Russia agisce
come una grande potenza ma al suo interno è percorsa
da movimenti anarchici e rivoluzionari (cfr. p. 89)...
La guerra scoppiò perché tutte queste situazioni di
squilibrio nazionale ed internazionale richiedevano una
nuova strutturazione e l'unico modo per condurla in porto,
secondo la logica di quei tempi, era una guerra.

IL CAMBIAMENTO DELLE ALLEANZE

L'Italia, come abbiamo visto, non aveva una vera politica
estera, se non per i suoi tentativi di creare delle colonie: era
rivolta alla soluzione dei suoi problemi interni e quindi, al

di là di una formale alleanza con il mondo tedesco, non
aveva peso internazionale. Quindi nel 1914 fu lasciata da
parte e accettò volentieri questo ruolo.
Dopo qualche mese tuttavia, diviene chiaro che la guerra
sarà lunga e cambierà il mondo, quindi l'Italia trasforma
la sua neutralità in alleanza con le potenze occidentali,
dietro la promessa ricevuta nel Patto di Londra (aprile
1915) di strappare all'Austria anche Trento, Bolzano,
Trieste e l'Istria oltre a ricevere alcune delle colonie
tedesche. Così, dopo mesi di manifestazioni degli
"interventisti", il 24 maggio 1915 l'Italia entra in guerra
contro l'Austria.

LA GUERRA UNIFICA L'ITALIA

La prima guerra mondiale fu, se possibile, ancor più
crudele e violenta delle precedenti: le nuove macchine
da guerra (carri armati e aeroplani), le nuovi armi
chimiche, la vastità dei campi di battaglia che occupavano
intere regioni, introdussero nella storia dell'umanità il
concetto di sterminio di massa.
Per l'Italia la guerra fu una prova difficile sul piano

1915 *Patto di Londra, l'Italia cambia alleanza*
1915 *L'Italia entra in guerra a fianco dell'Intesa*

1914 d.c	1915 d.c	1916 d.c

1914 *Inizia la Prima Guerra Mondiale*

L'Impero turco

Gli Ottomani, discendenti di Maometto, avevano conquistato
Costantinopoli, trasformandola in Istanbul, nel 1476, quando ormai
avevano creato le basi per la loro potenza impadronendosi della
Turchia e del Medio Oriente.
In quattro secoli l'impero turco era cresciuto giungendo fino al
Magherb, al Golfo Persico e ai Balcani. Nei primi anni dell'Ottocento
aveva cominciato
a disgregarsi e all'inizio del Novecento era, come quello austriaco, un
impero sostanzialmente finito. La guerra, che vide la Turchia alleata
dell'Austria e della Germania, non fece che mettere in evidenza la fine
dell'Impero.

- *Interventisti: coloro che volevano che
  anche l'Italia intervenisse, prendesse
  parte attiva nella guerra.*

- *Sterminio: uccisione di massa,
  massacro.*

- *Vettovaglie: tutto ciò che serve a
  mantenere una comunità e soprattutto
  un esercito.*

- *Trincee: fortificazione formata da uno
  scavo, una buca più o meno profonda
  rinforzata ai lati con sacchi o altro
  materiale.*

- *Svalutazione: riduzione del valore.*

- *Atterriti: terrorizzati, molto spaventati.*

Il fondatore della Turchia moderna, Ataturk

L'inferno della trincee non distingueva tra italiani e austriaci: tutti erano ugualmente vittime...

organizzativo (il fronte era all'estremo nord di una lunga penisola, da cui dovevano giungere soldati e vettovaglie); su quello economico, visto che l'Italia non aveva la forza finanziaria delle altre grandi nazioni in guerra; su quello militare, dove si confermò la scarsa qualità dei grandi ufficiali (che già era emersa nel 1866; cfr. p. 84).
Tuttavia la guerra ebbe anche un effetto positivo; per la prima volta gli italiani trovarono un'identità nazionale: lo sforzo comune, il fatto che nelle trincee ci fossero siciliani e toscani insieme a napoletani e piemontesi, che fosse necessario imparare davvero a parlare italiano e non solo dialetto, che si condividessero valutazioni negative sulle strutture di comando, creò un primo vincolo tra i ragazzi coinvolti al fronte.

LA QUARTA GUERRA DI INDIPENDENZA

Per gran parte della popolazione italiana la guerra mondiale non fu vissuta come un evento di politica internazionale, ma come la "quarta guerra di indipendenza", il cui fine era il completamento del Regno d'Italia nei sui confini naturali. Quando, il 4 novembre 1918, l'Austria si arrende sul fronte italiano, per gli italiani si conclude un periodo storico iniziato subito dopo il Congresso di Vienna, un secolo prima.
Ma queste speranze andranno deluse: il trattato di Versailles, nel 1919, tratta l'Italia per quello che è, una media potenza regionale, e non per quello che si sente, una grande potenza internazionale, e quindi la borghesia si riconosce nella teoria della "vittoria mutilata", intorno alla quale si raccoglieranno i reduci dal fronte incapaci di re-inserirsi, i borghesi impoveriti dalla svalutazione della lira, i ricchi atterriti dagli echi di quello che sta succedendo in Russia.
Si creano così le condizioni per l'avvento del fascismo.

1918 Vittoria italiana a Vittorio Veneto
1918 Fine della guerra

1917 d.c	1918 d.c	1919 d.c

1917 Sconfitta italiana a Caporetto, sul fiume Isonzo
1917 Entrano in guerra gli Stati Uniti e il Giappone
1917 Rivoluzione russa

1919 Trattato di Versailles, "vittoria mutilata"

Lawrence d'Arabia

La Turchia fu lasciata integra, ma i Balcani e il Medio Oriente vennero ridisegnati dalle potenze occidentali, che misero le basi per un secolo di conflitti successivi – dalla Bosnia alla Macedonia, dall'Albania al Kurdistan, dal Kuwait all'Irak, dalla Siria al Libano e alla Palestina: confini spesso inesistenti, tracciati solo per compiacere potenti alleati locali, finirono per portare a migrazioni interne, guerre etniche, sofferenze che derivano dall'euforia delle grandi potenze europee che si sentivano padrone del mondo, senza rendersi conto che la loro decadenza era rimandata solo di un ventennio.

Il paesaggio dell'Italia post-unitaria

Le differenze tra Nord industriale e Centro-Sud agricolo si riflettono nel paesaggio di questi decenni: da un lato nascono le industrie, che cambiano completamente l'immagine delle città e delle periferie, dall'altro nulla muta nelle campagne dove regna ancora un'agricoltura di poco differente da quella di secoli – per non dire millenni – prima.

In queste foto ingiallite, scattate a metà dell'Ottocento da Stefano Lecchi, si può vedere come era ridotta Roma: una rappresenta le mura Aureliane, l'altra Ponte Milvio: oggi sono nel pieno centro, a quei tempi erano ancora in piena campagna.

Nella foto grande invece vedi una bellissima centrale elettrica in stile *liberty* – l'art nouveau dei francesi – costruita a fine secolo sull'Adda, il fiume che va dal Lago di Como al Po, in Lombardia.

Facciamo il punto

Indica se le frasi riportate qui sotto sono vere o false.

	VERO	FALSO
1. I contadini siciliani sostengono sempre Garibaldi.	☐	☐
2. Il brigantaggio è diffuso soprattutto nell'Italia settentrionale	☐	☐
3. La sinistra è favorevole ad una presa di Roma con la forza	☐	☐
4. Papa Pio IX si dimostra subito disponibile a trattare "la questione romana" con il nuovo stato	☐	☐
5. Nel 1866 l'Italia, alleata con la Prussia, riesce a strappare il Veneto agli austriaci	☐	☐
6. Tutto il settentrione è fortemente sviluppato dal punto di vista commerciale e industriale	☐	☐
7. L'emigrazione è un fenomeno che riguarda solo l'Italia meridionale	☐	☐
8. I primi movimenti operai nascono in Inghilterra nel 1864 e arrivano in Italia solo nel 1882	☐	☐
9. Quando sale al potere la Sinistra promuove l'istruzione, il diritto di voto, l'abolizione della tassa sul macinato e lo sviluppo della viabilità	☐	☐
10. A seguito della politica coloniale l'Italia si allontana dalla Germania e consolida il suo rapporto con la Francia	☐	☐
11. La politica sociale di Giolitti mira a sostenere gli emigrati e il Meridione	☐	☐
12. Nel 1911 l'Italia conquista la Libia strappandola all'impero ottomano	☐	☐
13. Allo scoppio della Prima Guerra Mondiale l'Italia, sebbene neutrale, è alleata con l'Austria e la Germania	☐	☐
14. Quando il 24 maggio 1915 l'Italia entra in Guerra si schiera al fianco di Austria e Germania	☐	☐
15. Al termine della guerra, il ruolo internazionale dell'Italia viene riconosciuto da tutte le altre nazioni	☐	☐

La parola agli storici

I PROBLEMI DELL'ITALIA UNITA E IL BRIGANTAGGIO

I problemi che la classe politica dirigente doveva affrontare erano numerosi e di vario genere, ma dopo la morte di Cavour, avvenuta nel giugno del 1861, i suoi successori erano soprattutto preoccupati di non mettere in pericolo l'unità miracolosamente appena raggiunta. Esisteva in primo luogo un problema di organizzazione amministrativa: bisognava unificare i diversi sistemi legislativi, i sistemi monetari e le unità di misura diverse da regione a regione. Inoltre è bene ricordare che, se i codici civili e penali piemontesi erano più aggiornati di quelli borbonici e pontifici, rispetto alla legislazione del Lombardo-Veneto, a Parma e al Granducato di Toscana, le istituzioni dei Savoia erano più arretrate e il fatto non poteva non scontentare le popolazioni interessate. Il governo piemontese, in questo decennio agì come se la penisola fosse territorio di conquista, imponendo dovunque i suoi criteri e i suoi funzionari senza riguardo alle istituzioni e ai bisogni locali, come invece avrebbe voluto Cavour; impose perciò tasse e balzelli che le popolazioni più povere non potevano pagare ed inoltre istituì il servizio militare obbligatorio, servizio che gli italiani praticamente non conoscevano. La conseguenza più grave di questo stile duro [...] chiamato "piemontesismo", fu il brigantaggio che imperversò nei territori dell'ex Regno borbonico. Qui banditi veri e propri, braccianti, contadini poveri, organizzati anche da agenti borbonici provenienti dallo stato pontificio, cercarono con la forza di opporsi alle nuove leggi. Si trattò per alcuni anni, dal 1862 al 1865, di una vera e propria guerriglia che ebbe momenti di estrema violenza e il governo italiano non trovò di meglio per imporre la logica dello stato che ricorrere all'impiego di numerosi reggimenti che operano con estrema durezza.

Adattato da R. Fabietti, *La storia insieme*.

L'EMIGRAZIONE ITALIANA

La popolazione italiana [...] aumentava rapidamente. Dai 18 milioni di abitanti dei primi del secolo XIX, essa si avvicinava già ai 35 milioni nel 1911, con una densità che si aggirava sui 120 abitanti per chilometro quadrato. Tale densità era eccessiva per un paese ancora in buona parte agricolo, come era l'Italia in quel tempo. Si ebbe quindi una forte emigrazione, diretta prima verso i paesi europei e successivamente verso le due Americhe [...]. Attorno al 1906 partiva per le Americhe quasi mezzo milione di emigranti l'anno. Nel 1913 i paesi europei e le Americhe richiamavano circa 800.000 emigrati italiani: quasi mezzo miliardo di risparmi veniva inviato dagli emigranti alle famiglie residenti in Italia. Gli effetti dell'emigrazione tra la fine del XIX ed i primi del XX secolo si fecero sentire positivamente per più versi. Le zone più povere dell'Italia, specialmente quelle meridionali, si decongestionarono di popolazione, rendendo possibile, a chi rimaneva, di trovare lavoro più facilmente e con stipendi più alti. La modesta agiatezza raggiunta da più d'uno e i soldi che gli emigranti mandavano a casa stimolarono il circolo delle attività economiche. Il contatto con paesi stranieri [...] contribuì ad ampliare l'orizzonte mentale dei lavoratori. La contropartita di questi benefici era rappresentata dalla triste odissea cui andavano spesso incontro questi lavoratori, troppo poveri e ignoranti per potersi difendere da forme di sfruttamento [...].

Adattato da G. Spini, *Disegno storico della civiltà*.

- *Più arretrate: meno avanzate.*

- *Balzelli: sinonimo di "tasse".*

- *Imperversò: dal verbo **imperversare**, manifestarsi con grande violenza.*

- *Guerriglia: una serie di azioni di guerra non costanti operate da "irregolari" contro un esercito "regolare".*

- *Si decongestionarono di popolazione: furono svuotate dall'emigrazione.*

- *Agiatezza: benessere.*

- *Contropartita: l'altra faccia della medaglia, l'aspetto negativo.*

8
il novecento

Secolo "lungo" per alcuni, vista la quantità di eventi; secolo "breve" per altri data la rapidità in cui tutto si è succeduto – il Novecento è meno di un secolo: per l'Italia esso inizia nel 1918, con la conclusione del primo conflitto mondiale, e giunge al punto di svolta nel 2001, con l'inizio di fatto della Seconda Repubblica e con l'arrivo dell'Euro.

Nei precedenti capitoli abbiamo cercato di dare una linea di tendenza piuttosto che di approfondire fatti: gli eventi della storia sono serviti per disegnare un processo lungo 2500 anni, per mostrare un pendolo che si muove tra la frammentazione e l'unità: la divisione dei vari popoli pre-romani e l'unificazione romana; i cento comuni indipendenti e l'unificazione (prima in grandi blocchi dominati da stranieri e poi nel Regno d'Italia)… Ma questo capitolo non può pretendere di individuare "tendenze": gli autori ci sono vissuti, nel Novecento!

Ci limiteremo a raccontarti alcuni fatti: avrai tempo tu, continuando a studiare l'Italia, per tentare di cogliere delle linee di tendenza.

Il primo dopoguerra

Giovanni Gentile: filosofo idealista che riforma la scuola nel 1923

Abbiamo visto a pagina 91 che il trattato firmato a Versailles alla conclusione della Conferenza di Pace viene vissuto da molti italiani come una "vittoria mutilata", cioè incompleta, "rubata" da inglesi e francesi.
Questo stato d'animo della popolazione, insieme ai problemi economici e sociali, offre la possibilità a Mussolini di prendere "legalmente" il potere nel 1922, e poi di instaurare un regime dittatoriale nel 1925.

LA NASCITA DI NUOVI PARTITI

Subito dopo la guerra è evidente che le forme politiche precedenti sono superate: il rientro dei cattolici nella vita politica (1913), la rivoluzione comunista in Russia (1917) e la delusione per i risultati della guerra portano a:

- la nascita del Partito Popolare nel 1919: don Sturzo lo crea come risposta ai bisogni della gente, basata su una logica riformista anziché fortemente sindacale, ispirandosi alla "solidarietà" piuttosto che alla "lotta di classe" socialista. Da questo partito nascerà la Democrazia Cristiana, che dominerà nell'Italia per la seconda parte del Novecento;
- la separazione tra i socialisti "tradizionali" e quelli più rivoluzionari, che danno vita nel 1921 al Partito Comunista, che continuerà come forza di opposizione per quasi tutto il secolo;
- il movimento nazionalista, che trova il suo simbolo in D'Annunzio, uno scrittore famosissimo in quegli anni, e che dà voce alle delusioni per il mancato riconoscimento dell'Italia come potenza mondiale; D'Annunzio guida nel

1919 un battaglione di volontari che occupano la città di Fiume, in Istria;
- i Fasci Italiani di Combattimento, fondati da Mussolini e composti soprattutto da ex-combattenti, che ha in programma la ripresa della politica coloniale e il rilancio del ruolo italiano in Europa e nel Mediterraneo.

Benedetto Croce: il grande filosofo liberale è Ministro della Pubblica Istruzione subito dopo la Guerra

Don Luigi Sturzo, fondatore del Partito Popolare

	1919 L'impero austriaco si trasforma in una serie di repubbliche		**1921** Conferenza di Pace a Parigi Nascono il Partito Popolare e i primi Fasci	
1918 d.c	1919 d.c	1920 d.c	1921 d.c	1922 d.c
1918 Fine della prima guerra			**1922** Nasce il Partito Comunista Italiano	

L'imperialismo giapponese

Nel 1854 il Giappone abbandona la politica di isolamento in cui era rimasto per secoli, chiuso ad ogni influenza straniera. Nella seconda parte del secolo si traducono in giapponese molte opere europee, viene promulgata la costituzione e creato il Parlamento (1890).
Nel 1910 inizia l'espansione dell'Impero: dopo due guerre, una contro la Russia e l'altra contro la Cina, il Giappone conquista la Corea, una serie di isolette di fronte alla Cina e la grande isola di Formosa; nel 1914 entra in guerra contro la Germania, e questo farà sì che nel 1919 a Versailles, alla firma del trattato di pace, il Giappone sieda nei banchi dei vincitori.

La marcia su Roma

LA MARCIA SU ROMA

Nel congresso del Partito Fascista dell'ottobre del 1922 Mussolini abbandona gli ideali socialisti, si dichiara monarchico e annuncia una "marcia su Roma", inizialmente vista come protesta, ma di fatto divenuta un assalto alla capitale.

Il Re Vittorio Emanuele III cede alla provocazione e lo nomina Primo Ministro.

Mussolini governa con i liberali e con il Partito Popolare e avvia una serie di riforme: la più celebre (e duratura, visto che nel 2000 era ancora in vigore!) è quella del sistema scolastico, firmata dal filosofo Giovanni Gentile.

I punti di forza della riforma erano due: la scuola primaria obbligatoria, e la netta divisione tra istruzione classica, che portava all'università e che formava la classe dirigente a diretto contatto con il mondo della classicità, e istruzione tecnica, intesa come inferiore e quella umanistica.

IL PASSAGGIO ALLA DITTATURA

In pochi mesi la situazione si modifica ed emerge il vero volto nel nuovo governo.

Alla fine del 1923 Mussolini cambia la legge elettorale: il partito che vince ottiene due terzi dei deputati; nello stesso periodo il Movimento Nazionalista entra di fatto nel fascismo.

Nelle elezioni del 1924 gli "squadristi" (cioè gruppi di fascisti violenti tollerati dalla polizia) impauriscono l'opposizione e il fascismo (che ha accolto al loro interno anche molti liberali) conquista la maggioranza.

Il deputato Giacomo Matteotti (vedi p. 124) denuncia in Parlamento le violenze e le irregolarità delle elezioni, ma viene assassinato; l'opposizione abbandona il Parlamento e fa un appello al Re, che non interviene appoggiando di fatto (e anche per questo i Savoia perderanno il Regno, vent'anni dopo) la dittatura mussoliniana, che inizia ufficialmente il 3 gennaio del 1925 e, di fatto, occupa ogni amministrazione l'anno dopo, con l'abolizione dei consigli locali eletti dal popolo.

1924 *Assassinio Matteotti*

1923 d.c	1924 d.c	1925 d.c	1926 d.c	1927 d.c

1923 *Il Ministro Gentile riforma la scuola*
1923 *Mussolini marcia su Roma*

1926 *Il fascismo abolisce le amministrazioni comunali elettive*

- *Instaurare: stabilire.*

- *D'Annunzio: Gabriele (1863-1938) scrittore, poeta e patriota.*

- *Spinta: che va oltre i limiti della normalità.*

Soldati giapponesi invadono la Cina

Le potenze europee e, soprattutto, l'America iniziano a temere questo alleato che cresce troppo in fretta; soprattutto gli Stati Uniti ne temono l'influenza nel Pacifico, per cui nel 1922 il Giappone è costretto a ridurre la propria flotta.

Bloccato nel Pacifico, il Giappone si rivolge verso l'Asia e nel 1931 conquista la Manciuria, una vasta regione tra Cina e URSS, arrivando vicino a Pechino. È la guerra con la Cina, nel 1937, e poi a fianco della Germania nel 1940, e infine contro gli Stati Uniti con il bombardamento di Pearl Harbour nel 1941.

Sconfitto, devastato dall'atomica, nel secondo Novecento il Giappone attraversa una forte crisi di identità tra fedeltà ai valori tradizionali e apertura all'americanizzazione spinta.

Il fascismo

Benito Mussolini

Mussolini, inizialmente socialista poi nazionalista, inizialmente favorevole agli operai e poi sempre più "liberale" in economia, ebbe l'appoggio del Re Vittorio Emanuele III che gli affidò il governo dopo la Marcia su Roma del 1922 e tacque di fronte all'assassinio di Matteotti nel 1924 (cfr. p. 97 e p. 124). Ma oltre al re, lo appoggiavano anche la borghesia liberale, spaventata da quanto stava accadendo in Russia, molte forze cattoliche, i nazionalisti che pensavano di aver combattuto invano la grande guerra – la nascita del fascismo, almeno tra il 1919 e il 1924, è un fenomeno di massa, non l'atto di pochi "golpisti". Ma chi era Mussolini, e che cos'era il fascismo?

BENITO MUSSOLINI

Nato nel 1883 in una famiglia socialista, cresce negli ambienti anarchici che erano particolarmente diffusi in Romagna in quegli anni: era talmente convinto che per non andare nell'esercito fugge all'estero.

Tornato in Italia dopo un'amnistia, lavora come insegnante elementare ma si impegna sempre più nel giornalismo fino a diventare, a 35 anni, direttore dell'*Avanti!*, il giornale del Partito Socialista Italiano. Allo scoppio della guerra, nel 1914, i socialisti sono contrari all'intervento dell'Italia, ma Mussolini non è di questo parere: rompe con i socialisti, fonda *Il Popolo d'Italia* e inizia la campagna per l'intervento; combatte due anni, e nel 1917 sostiene l'idea di una dittatura militare che salvi l'Italia che in quei mesi era stata sconfitta a Caporetto.

Finita la guerra, Mussolini diventa l'interprete delle paure e delle delusioni d'Italia, conquista il governo nel 1922 e proclama la dittatura nel 1925 (cfr. p. 96). Mussolini verrà giustiziato dai partigiani nel 1945.

IL FASCISMO

Il fascismo in quanto tale non è una ideologia – come quella comunista – né era un progetto politico come quelli socialista, liberale e cattolico-popolare: è un atteggiamento, un modo di risolvere i problemi, e il "fascio" (che vedi nella foto) è una metafora creata da Mussolini per dar corpo alla sua idea di azione continua, di decisionismo, di un "fare" che non deve essere ostacolato da chi la pensa diversamente. In questo senso, il fascismo è legato al "futurismo" artistico, con la sua esaltazione della forza, del movimento, dell'attività. Ma anziché l'*individuo* dei futuristi, che richiama l'individualismo liberale, il fascismo esalta il gruppo, la *corporazione* – in questo erede dell'idea rivoluzionaria dei socialisti: l'individuo conta in quanto serve lo Stato.

Un "fascio", simbolo di origine romana che simboleggia la forza che viene dall'unione di più piccoli bastoni in un unico gruppo, che circonda l'ascia, simbolo della forza.

Nasce la dittatura

1927 *"Carta del lavoro": l'economia è soggetta allo Stato*

1920 d.c	1925 d.c	1930 d.c

1929 *Patti "Lateranensi" con la Chiesa*
1929 *Patto con Ungheria e Austria che dà all'Italia grande peso nei Balcani*
1929 *Nascono le "Corporazioni" che uniscono padroni e lavoratori dei vari settori*

La nascita della Repubblica Popolare Cinese

Come hai visto a p. 76 la Cina, da almeno un secolo, era una preda ambita dalle potenze europee, ma dopo la prima guerra mondiale essa viene abbandonata ai cosidetti Signori della Guerra, per cui l'Impero si sfalda. Nel 1931 il Giappone conquista il nord, la Manciuria, e nel 1937 attacca quel che resta dell'Impero (cfr. p. 96), conquistando anche vaste regioni del Sud e, soprattutto, Canton.

Nel 1945 il Giappone è però sconfitto dagli Alleati, e in Cina si scatena una guerra civile che, con la lunga marcia del 1949, porta al potere il Partito Comunista guidato da Mao Zedong (che in Italia si chiama, secondo la vecchia grafia, Mao Tze Tung).

- *Anarchico: chi vuole abolire ogni autorità, chi non riconosce alcun potere costituito.*

- *Programma di italianizzazione linguistica: campagna per "purificare" la lingua con la ripresa di parole della romanità (milizia, centuria) e la proibizione delle parole straniere.*

- *Esautorare: togliere l'autorità, il potere.*

- *Si sfalda: verbo riflessivo **sfaldarsi** dividersi, sciogliersi.*

La Città Proibita a Pechino

Vittorio Emanuele III e Mussolini nel 1923

La differenza dal marxismo è comunque netta: i comunisti vogliono la *lotta* di classe, mentre i fascisti (in sintonia con il mondo cattolico, in questo) mirano alla *solidarietà* tra le classi, in un progetto organico di cui il Duce ("guida", "condottiero": dal latino dux) è responsabile e difensore. E per questo progetto è lecito imporre la censura e imprigionare o assassinare gli oppositori.

IL VENTENNIO

Quando si dice "ventennio" in Italia ci si riferisce ai vent'anni in cui il fascismo ebbe il potere assoluto. Questo periodo è caratterizzato da alcune linee fondamentali:

- la soluzione del problema con la Chiesa, che nel 1870 si era vista "derubare" del suo Stato (cfr. p. 84). Nel 1929 Chiesa e Stato Italiano firmano un patto che stabilisce i rispettivi ruoli (i cosiddetti *Patti Lateranensi*);
- la creazione di un'identità nazionale: divisa per più di mille anni, l'Italia era unita politicamente dal 1861, ma socialmente e linguisticamente divisa: Mussolini ripropone la "romanità" come base dell'identità nazionale, e lancia un programma di italianizzazione linguistica, combattendo i dialetti;

- il rilancio del valore della lira, attraverso una politica di "autarchia", cioè la riduzione massima delle importazioni e il sostegno alle esportazioni;
- il rafforzamento dell'influenza italiana, dai Balcani (la costa Adriatica, l'Albania, la Grecia) alle ex-colonie italiane in Africa Orientale (Etiopia, Eritrea, Somalia): politica che porta allo scontro con le vere potenze mondiali, Inghilterra e Francia, e ad un avvicinamento alla Germania, dove nel 1933 Hitler ha preso il potere. Mussolini subisce l'influsso nazista fino al punto da imporre le leggi razziali, che provocano l'emigrazione di molti intellettuali ebrei.

Questi obiettivi vengono perseguiti senza doversi preoccupare del Parlamento (solo il Re può esautorare Mussolini) e dell'opposizione, schiacciata dalla censura e dalla polizia. Ma non va taciuto anche l'appoggio di molti maestri di pensiero, da D'Annunzio a Pirandello.

Gabriele d'Annunzio, lo scrittore che guida la conquista di Fiume.

1936 *Guerra coloniale in Etiopia*
1936 *Fondazione dell'Impero*
1936 *Alleanza con Hitler a favore di Franco, in Spagna*

1940 *L'Italia interviene a fianco della Germania*

| 1935 d.c | | 1940 d.c | 1945 d.c |

1939 *La Camera delle Corporazioni sostituisce quella dei Deputati*
1939 *"Patto d'Acciaio" con la Germania*
1939 *Invasione dell'Albania*
1939 *Inizia la Seconda Guerra Mondiale*

La nuova Repubblica Popolare cinese riceve grandi aiuti dall'URSS, ma poco a poco iniziano anche le rivalità e il distacco: negli anni Sessanta Mao lancia la Rivoluzione Culturale, che implica la cancellazione di gran parte del passato cinese, sia idee sia monumenti. Finita la guerra fredda (cfr. p. 103) tra USA e URSS, negli anni Ottanta e Novanta la Cina cambia rotta, soprattutto ad opera di Deng, che indica la via di un "capitalismo socialista" o di un "socialismo capitalista", cercando di unire i due principali modelli economici e sociali del secolo.

È un fatto che oggi Shangai, Canton, Hong Kong (ritornata cinese nel 1997) e anche Pechino fanno sembrare vecchie città come New York o Chicago. Le Olimpiadi del 2004 segnano simbolicamente l'ingresso definitivo della Cina nel gruppo di paesi leader del mondo del XXI secolo.

Mao Tze Tung

La seconda guerra mondiale

La Seconda Guerra Mondiale comincia nel marzo del 1939 ma all'inizio l'Italia ne resta fuori; solo nel 1940, forse per la convinzione che ormai il conflitto sia vicino alla conclusione, Mussolini entra in guerra a fianco di Hitler e del Giappone.

Prima pagina di La Stampa che annuncia la caduta di Mussolini

LA SECONDA GUERRA MONDIALE

Hitler attacca sia ad est, la Polonia, sia ad ovest, la Francia: nel giugno del 1940 viene occupata Parigi e nasce un governo filo-tedesco. Hitler, che non è riuscito a piegare l'Inghilterra malgrado l'uso intensivo dell'aviazione, potrebbe chiudere qui la guerra, ed è quello che forse spera Mussolini, che a giugno ha attaccato i francesi sulle Alpi, aprendo un nuovo fronte che ha indebolito la loro difesa contro i tedeschi.

In effetti, l'Italia firma un armistizio con la Francia e la guerra si sposta verso ulteriori conquiste in Albania, Grecia e Africa nord-orientale.

Ma nel 1941 Hitler, inaspettatamente, attacca l'Unione Sovietica e il Giappone attacca gli americani a Pearl Harbor: la guerra diviene davvero mondiale e produce una alleanza senza precedenti (i liberali, inglesi e americani, e i comunisti sovietici), fortissima sia sul piano tecnologico (gli americani sono imbattibili nell'aviazione) e legata dalla disperata sensazione "vincere o morire".

IL 25 LUGLIO E L'8 SETTEMBRE 1943

Nel luglio del 1943 gli Alleati conquistano la Sicilia e pochi giorni dopo Mussolini incontra Hitler: la situazione è chiaramente ad una svolta e il Gran Consiglio fascista toglie la fiducia a Mussolini; Vittorio Emanuele III lo fa arrestare il 25 luglio e il giorno dopo approva il governo Badoglio, il cui primo atto è l'abolizione del partito fascista.

Una settimana dopo Badoglio inizia i colloqui segreti con gli Alleati e l'8 settembre firma con loro un armistizio – che trasforma automaticamente gli "alleati" tedeschi presenti sul territorio italiano in "nemici" occupanti.

LA REPUBBLICA DI SALÒ

Il 9 settembre la famiglia reale e il governo si trasferiscono a Brindisi, una cittadina portuale a sud di Bari, lasciando

---

1940 *giugno:* campagna italiana contro la Francia
1940 *ottobre:* inizia la campagna di Grecia
1940 *settembre:* inizia la campagna d'Africa

1939 d.c	1940 d.c	1941 d.c

1939 *1 settembre:* Hitler attacca la Polonia

1941 *giugno:* Hitler attacca la Russia
1941 *dicembre:* il Giappone coinvolge gli Stati Uniti nella guerra

---

Il mondo sopravvissuto alla guerra

Nessuna guerra ha un vero vincitore, ogni guerra ha solo perdenti. Ma questo principio si dimostrò più vero che mai quando il vento spazzò il fumo radioattivo di Hiroshima e Nagasaki e tutti videro le macerie – non solo quelle del Giappone, ma anche quelle di Dresda, quelle di Stalingrado, e anche le ferite alla dignità umana di tutti – americani e asiatici, africani e abitanti dell'isola più sperduta.

Il mondo era cambiato: la distruzione totale era possibile, pochissimi uomini erano padroni dei destini dell'umanità: alcuni erano capitalisti, alcuni erano comunisti, ed entrambi i campi si ritenevano non solo "avversari" ideologici e politici, ma "nemici" degli altri.

Milioni e milioni di persone lasciarono l'Europa distrutta per andare

- *Aviazione: (qui) l'insieme delle forme armate costituite da aeroplani.*
- *Armistizio: sospensione dei combattimenti, temporanea o definitiva.*
- *Sterminati: dal verbo **sterminare**, distruggere completamente, annientare.*
- *Inermi: indifesi, disarmati.*
- *Genocidio: distruzione metodica, annientamento o sterminio di un gruppo etnico.*

La battaglia di Londra

l'Italia del Centro e del Nord in mano ai nazisti e lasciando
l'esercito senza indicazioni operative.
I soldati italiani in isole greche come Cefalonia e Corfù
rifiutano di darsi prigionieri agli ex-alleati e attuali nemici,
i tedeschi, e vengono sterminati.
Mussolini era agli arresti in una caserma sperduta sul
Gran Sasso, il monte più alto degli Appennini, non lontano
da Roma, ma un commando delle SS, la polizia speciale
nazista, lo libera il 12 settembre e Mussolini diviene il
capo della Repubblica di Salò (dal nome di una cittadina
sul Lago di Garda, tra Veneto e Lombardia), cioè della
parte di Italia che rimane sotto il controllo tedesco.

LA RESISTENZA

Si hanno in questi mesi rivolte spontanee contro i tedeschi:
la più celebre è quella di Napoli, che a fine novembre si
libera dai tedeschi e resiste quattro giorni, fino all'arrivo
degli Alleati.
Nel frattempo, a Bari, i partiti antifascisti possono rialzare
la testa e cercano un'unità di azione. Nell'aprile del 1944
costituiscono un nuovo governo Badoglio, composto da
sei partiti.
Ma nel Centro (anche se lentamente durante il 1944 gli
Alleati avanzano conquistando prima Roma e poi Firenze)
e soprattutto nel Nord c'è la guerra civile: soldati che dopo
l'8 settembre sono scappati sulle montagne per non essere
arruolati nell'esercito "repubblichino", ragazzi ancora

troppo giovani per essere soldati, uomini troppo maturi
per essere nell'esercito, danno vita a formazioni partigiane
e, sotto la guida del Comitato di Liberazione Nazionale,
fanno azioni di guerriglia contro i nazisti.
L'Appennino che divide il Nord dalla Toscana segna la
cosiddetta "linea gotica", e per tutto l'inverno del 1944-45
è il principale terreno di scontro tra Alleati e tedeschi,
ma con la primavera questi ultimi cedono e si ritirano
precipitosamente, massacrando popolazioni inermi
e lasciando terra bruciata al loro passaggio.
Il 25 aprile 1945 i tedeschi abbandonano Milano; Mussolini
fugge verso la Svizzera, un gruppo di partigiani lo cattura e
lo uccide. Il suo corpo verrà esposto a Milano appeso per i

piedi, come si usa fare nella
pianura padana con i maiali.

*La bomba
di Hiroshima*

in America e in Australia, altri milioni emigrarono dall'Africa, dove la
fine dell'Impero Britannico, nel 1960, lasciò libertà ai Signori della
Guerra che guidarono guerre civili e genocidi tribali per stabilire
le loro dittature.
E dittatori dominarono per decenni i vari paesi dell'America latina,
sostenuti in parte dagli USA in parte dall'URSS; nel 1967 iniziò la
guerra tra Israeliani (che nel 1948 avevano visto riconoscere lo stato
di Israele) e Palestinesi che era destinata a crescere di importanza
anno dopo anno.
Mentre nel passato una grande guerra rinnovava l'ordine mondiale e
portava, almeno per qualche tempo, la pace, la seconda guerra durò
almeno altri 40 anni come guerra "fredda".

*I partigiani del
Comitato di
Liberazione
Nazionale
entrano a
Milano*

La nascita della Repubblica

La firma della Costituzione

Il 6 agosto 1945 fa entrare il mondo nel nuovo incubo: la guerra nucleare. Il grande macello mondiale è costato circa 60 milioni di morti e 30 milioni di feriti – e la metà sono civili, non militari. L' Europa è distrutta: Coventry in Inghilterra e Dresda in Germania sono i simboli di questa follia. A Yalta, sul Mar Nero, Churchill, Stalin e Roosevelt la dividono in due blocchi, uno sotto l'influenza americana e uno sotto quella sovietica. È un "muro" che inizierà a cadere solo nel 1989.

IL PRIMO DOPOGUERRA

L'euforia per la liberazione dai nazisti non dura a lungo: l'industria del nord, le strade, le ferrovie, sono distrutte; l'inflazione è altissima.

Dalla Resistenza viene il primo governo nazionale, composto da tutti i partiti antifascisti; in dicembre viene sostituito dal primo governo dello statista che guiderà l'Italia in questo decennio, il democratico cristiano Alcide de Gasperi.

Vittorio Emanuele III, troppo legato alle tragedie dei trent'anni precedenti, non può continuare a regnare. Nel maggio del 1946 lascia il trono al figlio Umberto II, che è re d'Italia per un mese: il 2 giugno, infatti, tutti i cittadini (non più solo gli uomini) votano per scegliere tra monarchia e repubblica. Vince, di poco, la seconda. Tra tutti i partiti che partecipano alle elezioni per eleggere l'assemblea che deve scrivere la Costituzione ne emergono tre, che guideranno poi l'Italia per mezzo secolo: Democrazia Cristiana, Partito Comunista e Partito Socialista (che nel 1947 si spacca in due: i socialisti, alleati dei comunisti; i socialdemocratici, rivolti all'occidente).

IL 18 APRILE 1948

L'Assemblea Costituente eletta nel 1946 lavora due anni e la costituzione repubblicana entra in vigore con il 1948, anno in cui si tengono le elezioni per il primo Parlamento repubblicano; fortissima è la contrapposizione tra democristiani e liberali, da un lato, e fronte social-comunista, dall'altro. C'è anche un movimento di destra, composto da persone che ritengono positiva l'esperienza mussoliniana, ma anche dalle centinaia di migliaia di profughi che vengono dall'Istria, che l'Italia deve cedere alla Yugoslavia (fino al 1954 anche Trieste sarà amministrata dagli Alleati). La vittoria di De Gasperi il 18 aprile

Alcide De Gasperi

segna la storia d'Italia, legandola fortemente all'Europa occidentale: inizia un percorso, di cui De Gasperi è uno dei protagonisti insieme al francese Schumann e al tedesco Adenauer, che in mezzo secolo porta all'Unione Europea.

1947 Trattato di pace a Parigi. L'Italia perde l'Istria.
1947 Restrizioni economiche per bloccare l'inflazione

1945 d.c	1946 d.c	1947 d.c

1945 *28 aprile: fine della guerra*
1945 *giugno: governo Parri, espressione della Resistenza*
1945 *dicembre: governo De Gasperi, espressione dei partiti*

1946 *maggio: Umberto II succede a Vittorio Emanuele III*
1946 *2 giugno: elezioni e referendum. Vince la Repubblica*

La guerra, da "calda" a "fredda"

La guerra "fredda" è una guerra non combattuta con le armi, o che limita l'uso delle armi a piccoli conflitti locali.

Subito dopo il 1945 diventa chiaro che USA e URSS sono avversari, non alleati. E ciascuno cerca di stabilire e poi di ampliare la propria sfera di influenza: nel 1944 a Yalta, sul Mar Nero, l'inglese Churchill, l'americano Roosevelt e il sovietico Stalin dividono il mondo, tracciando linee sulla carta geografica; nel 1950 nasce la NATO, il patto tra Stati Uniti ed Europa occidentale; nel 1955 nasce il Patto di Varsavia, tra l'URSS e gli stati che, dal Mar Baltico al Mar Nero, la separano dagli stati della NATO.

Sono anni di tensione continua: i russi finanziano e appoggiano la

Churchill, Roosevelt e Stalin si dividono il mondo a Yalta

Riso amaro

Qui a fianco scene da
alcuni film neo-realisti.

IL PRESTITO AMERICANO E L'ESCLUSIONE DEI COMUNISTI

Nel dopoguerra l'inflazione supera il 50%; immense sono
le spese della ricostruzione delle infrastrutture di base
(ferrovie, ponti, strade) senza le quali non si può pensare
alla ricostruzione economica del paese.
Nel 1947 De Gasperi ottiene dal governo americano un
prestito di 100 milioni di dollari (una cifra enorme, per i
tempi) e "paga" l'alleato, che sta già entrando nella fase
di "guerra fredda" con il blocco sovietico, escludendo i
comunisti e i socialisti dal governo.
Per quarant'anni, fino allo sfascio dell'Unione Sovietica,
esisterà un accordo non scritto, ma chiaro a tutti nella
NATO (che nasce nel 1949), in Europa, in Italia: il Partito
Comunista non deve prendere il potere. Per quarant'anni
la politica italiana sarà segnata dalla necessità di fare dei
governi che possano fare a meno di quel terzo
dell'elettorato italiano che vota comunista.

L'EMIGRAZIONE

La situazione sociale è tesa, l'inflazione galoppa, la
disoccupazione è diffusa, ragazzi partiti per la guerra
d'Africa nel 1936 e fatti prigionieri dagli inglesi tornano

dieci, dodici anni dopo,
ormai uomini maturi,
e si trovano estranei in
un'Italia irriconoscibile.
Così nasce una grande
ondata di emigrazione,
che in questi anni
privilegia l'Argentina
e alcuni altri paesi del
Sud America,
e la zone
dell'est del
Nord
America, dal
New Jersey
all'Ontario.

Ladri di biciclette

Catene

1948 d.c	1949 d.c	1950 d.c

1948 Entra in vigore la Costituzione
1948 18 aprile: De Gasperi vince le elezioni

rivoluzione di Cuba, guidata da Fidel Castro e Che Guevara: un vero e
proprio insulto agli americani, che da sempre considerano Cuba come
"il cortile di casa propria": il tentativo degli americani di sbarcare a
Cuba crea uno stato di tensione tra l'America di Kennedy e la Russia di
Kruscev che per poco non sfocia in una guerra nucleare.
Attraverso le dittature gli americani riportano all'obbedienza i paesi
latino-americani in cui le sinistre avanzano; attraverso le invasioni
militari i russi calmano i paesi del loro impero che fanno troppe
aperture liberali; attraverso colpi di stato e lotte tribali russi e
americani si contendono il controllo dell'Africa e del Medio
Oriente. La guerra fredda finisce nel 1989-91, con
il crollo dell'Unione Sovietica.

Che Guevara

- *Macello: uccisione di animali, senza alcuna pietà.*
- *Euforia: momento di grande felicità.*
- *Fronte (al maschile): gruppo unito, compatto.*
- *Blocco: gruppo unito, compatto; alleanza.*
- *Galoppa: dal verbo **galoppare** crescere velocemente.*

L'Italia democristiana

Un emigrante meridionale nel Nord: l'altra faccia del miracolo economico

Come abbiamo visto a p.102, nel 1944 a Yalta Stalin e Roosevelt si erano accordati per inserire l'Italia nella sfera d'influenza americana. Il 18 aprile 1948 le elezioni avevano confermato questa situazione, dando la vittoria alla Democrazia Cristiana, erede del Partito Popolare fondato da Don Luigi Sturzo nel 1919 (cfr. p.96). Inizia in questi anni un percorso che durerà quasi mezzo secolo e che vedrà la DC, prima da sola e poi con i socialisti, al governo dell'Italia.

DE GASPERI E LA DEMOCRAZIA CRISTIANA

Nato a Trento quando era ancora parte dell'Impero Austro-Ungarico, laureato a Vienna, dotato di un'ampia visione europea che lo porrà tra i padri dell'Unione, De Gasperi dà forma nei primi anni Cinquanta ad una Democrazia Cristiana intesa come partito "trasversale", quasi un riassunto del Parlamento, con la sua destra, il suo centro, la sua sinistra: un partito che almeno per alcuni anni rappresenta l'intera società italiana, dal medico all'operaio, dalla vecchietta al professore di liceo.

Negli anni Novanta, con lo scandalo del finanziamento dei partiti attraverso la corruzione (cfr. p. 112) la DC "esploderà" in una serie di partiti, la sinistra nella Rete, la destra in Forza Italia di Berlusconi, e i centristi divisi nell'Ulivo di Prodi (centro-sinistra) e nel Polo delle Libertà (centro-destra).

L'ITALIA DEMOCRISTIANA PRENDE FORMA

La DC ha la maggioranza assoluta nel primo parlamento repubblicano, ma l'instabilità è comunque notevole: tra il 1947 e il 1954 De Gasperi guida ben otto governi diversi. In realtà il malessere della DC riflette quello di un'intera società che sta prendendo forma.

Nel luglio del 1948 c'è un altro evento drammatico, simbolico della violenza della lotta politica di quel periodo: un giovane di destra spara a Palmiro Togliatti, il capo del Partito Comunista che, da ministro della giustizia nel primo governo De Gasperi, aveva concesso l'amnistia generale contribuendo a chiudere il periodo fascista e la guerra interna in Italia.

Togliatti e De Gasperi riescono a evitare che si scateni la guerra civile, che non era mai stata così vicina come in quei giorni. È un fatto che segna l'inizio di una collaborazione

---

1948 Entra in vigore la Costituzione repubblicana la DC ottiene la maggioranza assoluta alle elezioni		**1950** Nasce la Cassa del Mezzogiorno, per la ricostruzione del Sud			
1948 d.c	1949 d.c	1950 d.c	1951 d.c	1952 d.c	1953 d.c
1948 Attentato a Togliatti **1948** L'Italia aderisce alla NATO				**1953** L'Italia aderisce alla Comunità Europea del Carbone e dell'Acciaio	

Democrazia, dittatura, populismo, giustizialismo in America Latina
Il titolo riprende gli elementi fondamentali del continuo mutare istituzionale dei paesi latino-americani. Prima della guerra solo Colombia e Cile sono stati risparmiati dalle dittature, ma tra il 1950 e il 1980 tutti i paesi attraversano questa fase.
Il modello è più o meno lo stesso: ci sono periodi di democrazia, di solito basata sull'opposizione tra due partiti, con basso livello di partecipazione dei cittadini; la classe politica quindi non ha ricambio e si preoccupa più dei propri giochi di potere che di risolvere le crisi economiche dovute al continuo aumento della popolazione, alla fuga di capitali, alla corruzione; di conseguenza, la classe media (tra i quali ci sono gli emigranti italiani ed europei degli anni Cinquanta e Settanta)

diventa povera, accetta un governo forte che rimette a posto l'economia soffocando le proteste delle classi che portano il peso del risanamento. Poi si torna alla democrazia, con festeggiamenti internazionali, una nuova classe dirigente e il ciclo riprende.
Un modello originale sudamericano è quello che, dal nome del suo massimo esponente, si chiama "peronismo", che non può essere inserito nei canoni tradizionali di destra/sinistra o di democrazia/dittatura, perché combina in modo autonomo questi quattro elementi.

Le Fiat 500, uno dei simboli del miracolo economico; nella pagina precedente, la "mitica" Vespa.

(non dichiarata!) tra DC e PCI sui massimi problemi nazionali, collaborazione che negli anni Settanta diverrà esplicita come "compromesso storico" (cfr. p. 109).

LA RICOSTRUZIONE

Le linee della politica internazionale italiana sono chiare: nel 1948 l'Italia entra nella NATO e nel 1951 di impegna nella costruzione della CECA, la comunità europea del carbone e dell'acciaio che rappresenta il primo nucleo dell'Unione Europea.

L'America "premia" questa disponibilità con il Piano Marshall, che finanzia la ricostruzione dell'Europa occidentale distrutta dalla guerra: l'Italia è tra i principali beneficiari di questi aiuti.

Negli anni Cinquanta il prodotto nazionale cresce del 47%, gli operai superano di numero i contadini, nel Nord-Ovest manca addirittura la forza lavoro, per cui milioni di meridionali si trasferiscono dalle loro campagne alle fabbriche di Torino e Milano, dove nascono orribili periferie dormitorio.

È il cosiddetto "miracolo economico", rappresentato dalle utilitarie Fiat, le piccole macchine che rappresentano il sogno degli italiani e consentono quella mobilità che è mancata per secoli e secoli in un'Italia segnata da mille confini.

LA DC SI SPOSTA A DESTRA

De Gasperi capisce che il sistema elettorale proporzionale crea governi deboli, per cui propone una legge maggioritaria (molto più morbida di quella che verrà approvata negli anni Novanta) (cfr. p. 114): ma l'opposizione la definisce "legge truffa" e riesce a bloccarla.

De Gasperi si dimette e nella DC si scatena una guerra di successione tra i capi delle varie correnti: i governi durano poco, e alla fine del decennio sono appoggiati dalla destra: i governi Segni e Tambroni nel 1959-1960 hanno addirittura l'appoggio del partito neo-fascista, il Movimento Sociale Italiano. Si verificano molti disordini di piazza e la DC capisce che potrà governare solo alleandosi con quella parte della sinistra che, dopo l'invasione sovietica dell'Ungheria nel 1956, si è staccata dal Partito Comunista.

Manifestazioni di piazza contro il governo Tambroni, sostenuto dalla destra, nel 1960

1954 De Gasperi si dimette dopo la bocciatura della legge maggioritaria
1954 Trieste torna ad essere italiana

1959-60 Governi Segni e Tambroni con l'appoggio della destra

1954 d.c	1955 d.c	1956 d.c	1957 d.c	1958 d.c	1959 d.c	1960 d.c

1956 Crisi nella sinistra dopo l'invasione sovietica dell'Ungheria
1956 La DC vince le elezioni, calano i partiti minori

• *Si scateni: dal verbo **scatenarsi**, scoppiare, esplodere.*

• *Utilitaria: automobile piccola o media, dal costo relativamente basso e quindi accessibile ad un gran numero di persone.*

• *Si dimette: dal verbo riflessivo **dimettersi**, abbandonare una carica.*

• *Populismo: atteggiamento dei politici che promettono al popolo quello che il popolo vuol sentirsi dire, mentre nella sostanza vogliono solo mantenere il proprio potere.*

• *Giustizialismo: tentativo di risolvere attraverso i giudici i rapporti politici.*

Evita Peron

Funerale di Eva Peron

Gli anni del Centrosinistra

Nel 1958 la DC vince le elezioni e i partiti minori perdono voti. Fanfani imposta un governo orientato verso sinistra (dove molti socialisti e comunisti sono in crisi in seguito all'invasione sovietica dell'Ungheria, nel 1956), ma la destra democristiana blocca il tentativo. Nel 1959-60 si hanno due governi appoggiati dalla destra, ma i disordini di piazza portano la DC a scegliere definitivamente l'alleanza con la sinistra moderata. Nel 1960 – e non è cosa da poco per un paese martoriato dalla guerra e dissanguato dall'emigrazione – la lira viene dichiarata la moneta più stabile del mondo industrializzato.

FANFANI E MORO, SARAGAT E NENNI

Nella DC emergono quelli che i giornali chiameranno i due "cavalli di razza", Fanfani, che nel 1958 guida un governo con l'appoggio dei socialdemocratici, e soprattutto Aldo Moro.

Di origine pugliese, Ministro della Pubblica Istruzione che realizza l'unificazione dei vari tipi di scuola media e porta l'obbligo scolastico a 14 anni, Ministro degli Esteri che imposta la politica italiana in senso filoarabo, Moro emerge soprattutto come segretario politico della DC, mediatore tra tutte le sue componenti, regista dell'accordo con i socialisti, nel 1963, e con i comunisti nel 1974, come vedremo. Pagherà con la vita, ucciso dalle Brigate Rosse nel 1978.

Saragat e Nenni sono i due "cavalli di razza" del socialismo italiano, ma le loro strade si separano violentemente nel 1947: Nenni, capo del Partito Socialista, si allea con i comunisti di Togliatti, mentre Saragat e un gruppo di deputati si separano e fondano il Partito Socialdemocratico, in linea con le tendenze della sinistra tedesca, inglese e americana. Saragat diventerà presidente della Repubblica nel 1964.

Amintore Fanfani

Pietro Nenni

Giuseppe Saragat

Palmiro Togliatti

1959-60 *Governi Segni e Tambroni, con l'appoggio del MSI (l'erede del fascismo)*

1963 *Elezioni e governo Moro: inizia il centro-sinistra*

1958 d.c	1959 d.c	1960 d.c	1961 d.c	1962 d.c	1963 d.c

1958 *La DC scende nelle elezioni. Fanfani fa un governo con l'appoggio dei socialdemocratici*

1962 *Governo Fanfani con l'appoggio esterno dei socialisti*
1962 *Inizia il Concilio Vaticano II*
1962 *Riforma della scuola media*

La fine del colonialismo europeo

Aver combattuto una guerra nel nome della "libertà" obbliga Inghilterra, Francia, Belgio e Olanda a concedere l'indipendenza alle loro colonie in Asia, Africa ed Oceania.

Il processo di de-colonizzazione avviene in tre fasi:
- a cavallo tra gli anni Quaranta e Cinquanta, l'Inghilterra si ritira dall'area indiana e dai "protettorati" nel mondo arabo, la Francia lascia l'Indocina, l'Olanda libera l'Indonesia e le altre colonie nell'Oceano Indiano, gli Stati Uniti concedono l'indipendenza alle Filippine;
- intorno al 1960 tornano liberi molti stati africani, dalle colonie francesi nel nord-ovest a quelle belghe dell'africa centrale, a quelle britanniche di tutto il continente;

Mohandas Ghandi

IL CENTRO-SINISTRA

Nel 1961 e nel 1963 Giovanni XXIII, il papa, riforma la Chiesa con il Concilio Vaticano II, scrive due "encicliche", cioè due documenti offerti alla riflessione di tutto il mondo: riafferma il valore della Chiesa ma apre al rispetto, anziché continuare con la condanna, per coloro che si battono per il miglioramento delle condizioni di vita dei poveri e per il superamento della guerra fredda.

Moro interpreta queste encicliche come un "via libera" del Vaticano all'apertura ai socialisti. Nel 1963 ci sono le elezioni e la DC scende; Moro riesce a convincere Nenni e Saragat a sostenere la nuova formula di governo: nasce il "centro-sinistra"; l'ala sinistra del PSI si stacca e continua così il dramma delle scissioni del partito fondato da Turati a fine Ottocento. D'altra parte, nel 1966 socialisti e socialdemocratici si unificheranno in un unico partito, che otterrà poi il governo con Craxi negli anni Ottanta e verrà spazzato via dagli scandali negli anni Novanta.

Sono anni di grandi riforme e di entusiasmo per l'ideale europeo (nel 1957 con il Trattato di Roma sei stati europei formano il MEC, il Mercato comune europeo); sono anche anni di forte crescita economica, che dura fino ai primi anni Settanta, segnati dalle crisi petrolifere che seguono alla prima guerra arabo-israeliana del 1967.

CONTRO IL CENTRO-SINISTRA

L'idea dell'apertura a sinistra, del coinvolgimento dei socialisti nel governo, non piace a tutti: il Generale De Lorenzo – capo dei servizi segreti – viene accusato di aver protetto nel 1964 un tentativo di colpo di stato in cui erano coinvolti sia politici di destra sia gruppi di ex-partigiani liberali, che erano a conoscenza di depositi di armi e munizioni nascosti dopo la guerra.

Nel 1967 nella vicina Grecia i militari prendono il potere con un colpo di stato.

Israele ed Egitto sono in guerra.

Di colpo l'Italia si sente insicura.

Iniziano in questi anni le radicalizzazioni che, attraverso il movimento studentesco del Sessantotto e l'autunno caldo degli operai nel 1969 porterà agli anni di piombo, gli anni Settanta (cfr. p. 108).

Periferia

1967 Golpe in Grecia e guerra Israele-Egitto

1964 d.c	1965 d.c	1966 d.c	1967 d.c	1968 d.c

1964 Il socialdemocratico Saragat diventa Presidente della Repubblica
1964 Preparativi di colpo di Stato del centro-destra

1966 Unificazione di socialdemocratici e socialisti

- negli anni settanta, con la fine della dittatura di Salazar, anche le molte colonie africane e asiatiche del Portogallo raggiungono l'indipendenza.

La fine del colonialismo, in molti casi, lascia i giovani paesi in balìa del grande "gioco" della guerra fredda (cfr. p. 102), per cui USA e URSS sostengono colpi di stato, finanziano una tribù o una etnia contro l'altra, un gruppo religioso contro l'altro, usano questi paesi come mercati per le loro fabbriche di armi e come fornitori di materie prime a basso prezzo. Si tratta di una forma di colonialismo che, per il fatto di essere nascosto e indiretto, è ancora più ignobile del colonialismo dell'Ottocento e della prima parte del Novecento.

- *Martoriato: in condizioni disastrose.*
- *Munizioni: proiettili, cartucce, esplosivi per armi da fuoco.*
- *Caldo: in senso metaforico: agitato, pieno di tensione.*
- *Lascia i giovani paesi in balìa: lasciare sotto il controllo, il potere, alla mercé.*

Nelson Mandela

Operai a Torino durante l'autunno caldo del 1969

Il Sessantotto e gli anni di piombo

*Nel 1966 il Ministro della Pubblica Istruzione propone la riforma universitaria. Questi eventi, insieme, provocano dal 1966 in poi occupazioni studentesche nelle scuole e università italiane, in sintonia con quelle europee ed americane nutrite da **L'uomo a una dimensione** di Marcuse, testo "sacro" per gli studenti che contestano la guerra del Vietnam.*

IL SESSANTOTTO DEGLI STUDENTI

Quando si dice "Sessantotto" in Italia si intende un periodo più lungo, che va dal 1966 almeno ai primissimi anni Settanta, prima che il terrorismo trasformi il Sessantotto negli "Anni di Piombo"; sono tipici del Sessantotto:

- la rivolta degli studenti universitari, di cui abbiamo detto sopra; una conseguenza della rivolta è l'apertura di tutte le Facoltà agli studenti che hanno la "maturità", cioè il titolo di scuola superiore (fino al 1967, solo chi aveva studiato nel liceo classico poteva accedere a tutte le facoltà);
- la rivolta dei liceali contro una scuola che non ha saputo riformarsi dalla struttura datale da Giovanni Gentile nel 1923 (cfr. p. 96); nasce l'idea di una scuola meno nozionistica e più problematica (che prende corpo nelle decine e decine di scuole "sperimentali" nate nei primi anni Settanta) e viene avviata la forma di esame di maturità che durerà fino al 2000;
- l'atteggiamento di rifiuto di ogni imposizione, da quelle nel mondo della scuola e dell'università a quelle della

moda, del taglio dei capelli, del tipo di musica, e così via. "Una grande risata vi seppellirà" è uno degli slogan urlati dai ragazzi nelle manifestazioni.

Nei primi anni Settanta le migliorate condizioni economiche permettono a molte famiglie di fare studiare i loro figli fino a 19 anni: nasce la scuola "di massa" e i laureati del "Sessantotto" diventano insegnanti, per cui l'impostazione culturale e gli atteggiamenti di questa breve stagione di protesta e anarchia durerà nella scuola per i due decenni successivi.

IL SESSANTOTTO DEGLI OPERAI

Le elezioni del 1968 premiano DC e comunisti e penalizzano i socialisti unificati; la protesta si allarga dalle università alle fabbriche; nel 1969 i socialdemocratici si ri-staccano dai socialisti; i governi diventano fragilissimi.

Ma l'evento chiave è una bomba terroristica in una banca milanese, la "Strage di Piazza Fontana" (vedi p. 125), che all'inizio la polizia attribuisce agli anarchici ma che invece ha dietro oscure coperture dei servizi segreti per alcuni

1964 Marcuse pubblica L'uomo a una dimensione		**1967** Occupazione di molte università, in Italia e nel resto d'Europa	**1969** I socialisti si ri-separano **1969** Autunno caldo, con scioperi e manifestazioni operarie
1964 d.c	1966 d.c	1968 d.c	1970 d.c
	1965 Iniziano i bombardamenti americani in Vietnam		**1968** I socialisti unificati sconfitti nelle elezioni **1968** Invasione sovietica a Praga **1968** Bomba neo-fascista in una banca a Milano

Blowing in the wind

Le parole di Bob Dylan si adattano bene a descrivere il mondo dei giovani a metà degli anni Sessanta:

- si diffonde rapidissima, come portata dal vento, una sensazione nuova di libertà, il rifiuto da parte dei nati dopo il 1945 di tutto ciò che la generazione della guerra gli ha trasmesso;
- si vuole uscire dai propri confini e scoprire un mondo diverso da quello europeo che ha portato alla paura dell'atomica: Kabul per la droga, il Tibet per la spiritualità, il mondo Inca, Maya e Azteco per ciò che è non-Europa: un verso di Lucio Battisti sintetizza perfettamente questo desiderio di uscire dai propri muri: "Che ne sai del mio viaggio in Inghilterra?";

Martin L. King alla marcia antirazzista di Washington

movimenti neo-fascisti: inizia la "strategia della tensione".

Gli operai sentono che è finita la stagione di slancio, quella del miracolo economico, e reclamano maggiori diritti, con una serie di scioperi che portano il nome di "autunno caldo". Nel 1970 il governo risponde a questa situazione con lo Statuto dei Lavoratori e dà il via a un inizio di decentramento (si istituiscono le Regioni, previste dalla Costituzione fin dal 1948, che tuttavia cominceranno a funzionare solo negli anni Ottanta).

È del 1970 anche una riforma impensabile pochi anni prima in un Paese dove la Chiesa aveva sempre avuto un ruolo fondamentale: viene infatti introdotto il divorzio.

Nel 1978 sarà la volta dell'aborto. Entrambe le leggi saranno confermate da referendum popolari.

GLI ANNI DI PIOMBO

Tra il 1970 ed il 1978, anno del rapimento e dell'uccisione di Moro, le Brigate Rosse (che hanno gruppi corrispondenti anche in Germania e in Giappone) e vari movimenti "neri" di estrema destra dominano la vita politica italiana con una serie continua, quotidiana di attentati: dalle vere e proprie stragi all'assassinio di sindacalisti o manager, fino alla "gambizzazione", cioè al colpo di pistola nelle gambe come avvertimento.

Le istituzioni ritrovano unità di azione: i tre sindacati maggiori si federano nel 1972; nel 1973 Berlinguer, segretario del Partito Comunista, propone il "compromesso storico" tra PCI e DC per fronteggiare il terrorismo e nel 1976 lancia l'"euro-comunismo" e prende le distanze da Mosca.

Il giorno in cui il governo Andreotti, appoggiato dal PCI, giura in Parlamento, le Brigate Rosse sequestrano Moro, che viene ucciso 55 giorni dopo. Alcuni esponenti di gruppi di estrema sinistra si dissociano dal terrorismo e iniziano a collaborare con la polizia, che riesce a distruggere le Brigate Rosse, mentre dovrà lottare ancora anni per mettere sotto controllo il terrorismo di estrema destra, responsabile della strage del treno Italicus nel 1974 e di quella della stazione di Bologna, nel 1980.

Sono anni bui, in cui al piombo del terrorismo si aggiunge la crisi economica mondiale: l'inflazione supera il 20%, l'insicurezza è diffusa, molti italiani di livello sociale medio-alto emigrano verso Paesi più tranquilli.

1973 Berlinguer teorizza il "compromesso storico" DC-PCI		**1977** Nuove manifestazioni studentesche	**1980** Strage neofascista alla stazione di Bologna
1970 d.c	1972 d.c	1974 d.c	1976 d.c	1978 d.c	1980 d.c

1970 Vengono istituite le Regioni e si votano i governi regionali
1970 Si approva lo Statuto dei Lavoratori
1970 Viene introdotto il divorzio

1976 La lira è in piena crisi

1978 Rapimento e assassinio di Aldo Moro; governo con appoggio PCI
1978 Viene legalizzato l'aborto

- si è convinti che *we shall overcome*, "noi ce la faremo" ad imporre con il sorriso, i fiori, la gentilezza, gli spinelli, una vera democrazia, una vera eguaglianza, *black and white together*, bianchi e neri insieme: era il coro che si alzava dalla grande marcia organizzata da Martin Luther King;
- si è uniti dalla stessa "colonna sonora" – dai leggerissimi Beatles ai raffinatissimi Pink Floyd, dal dolce-amaro De André agli spudorati Rolling Stones: per i giovani è segno di unità al di sopra dei confini, in realtà è solo l'effetto delle multinazionali discografiche e dei nuovi mass media mondiali, delle prime trasmissioni televisive via satellite...

- *Prende corpo: si realizza.*
- *Decentramento: spostamento dei poteri da un unico luogo (anche inteso come istituzione) a diversi luoghi.*
- *Si dissociano: dal verbo **dissociarsi**, prendere le distanze, staccarsi.*

Bob Dylan

Tra federalismo
e secessione

Umberto Bossi

Mentre gli anni di piombo giungono al culmine della loro tragica follia ci sono dei segni che indicano un clima nuovo.

IL SENSO DI RINNOVAMENTO NEGLI ANNI OTTANTA

Nel 1978 il vecchio socialista e anti-fascista Pertini diventa Presidente della Repubblica; nel 1979 si vota il primo Parlamento europeo e un polacco, dopo secoli di pontefici italiani, diventa Papa; nel 1980 Israele ed Egitto aprono ambasciate nei due paesi; nel 1981 viene eletto capo del governo Spadolini, un repubblicano (cioè un liberale senza le asprezze del capitalismo selvaggio): è il primo governo non presieduto da un democristiano. La Francia elegge Mitterand, la Grecia ormai liberata dai colonnelli entra nella Comunità Europea (dove nel 1973 erano entrati altri sei stati); nel 1982 muore Breznev, che per decenni ha fossilizzato la politica della superpotenza russa; nel 1984 alle elezioni europee il PCI diviene il primo partito italiano.

Sono tutti sintomi di voglia di cambiamento, segni di una ripresa di interesse verso il futuro che coinvolgono l'Italia e il mondo, dove l'economia comincia a funzionare di nuovo a pieno ritmo.

I GOVERNI CRAXI

Nel 1983 le elezioni segnano la sconfitta della DC; la guida del centro-sinistra passa al giovane leader dei socialisti,

VALENTINO

GIORGIO ARMANI

GUCCI

VERSACE

PRADA

FENDI

Bettino Craxi: figura controversa sul piano etico (negli anni Novanta sarà travolto dalle inchieste sulla corruzione, insieme all'intero PSI) ma indubbiamente abile come statista.

Nel 1984 firma un nuovo concordato con la Chiesa, che sostituisce quello firmato da Mussolini nel 1929; inizia una forte lotta contro la mafia e alle elezioni amministrative offre un'immagine di operatività per cui il centro-sinistra risulta vittorioso, con un forte calo del PCI; riesce ad eliminare la "scala mobile", un meccanismo che difende i salari dei lavoratori ma al tempo stesso moltiplica l'inflazione: sono cambiamenti importanti rispetto alla tradizione democristiana.

Ma la vera dimostrazione della sua capacità di iniziativa si ha nel 1985 quando gestisce in maniera autonoma dagli Stati Uniti una crisi con i gruppi terroristici mediorientali. Questa nuova visibilità italiana, insieme all'espansione

1980 *Strage neofascista alla stazione di Bologna*

1978 d.c	1979 d.c	1980 d.c	1981 d.c	1982 d.c

1978 *Elezione del socialista Pertini a capo della Repubblica* | **1979** *Elezione del primo Parlamento Europeo* | | **1981** *Spadolini primo capo del governo non democristiano* |

La ventata liberista

Negli anni Sessanta e Settanta in tutti i paesi occidentali lo Stato è protagonista dell'economia, interviene sulle tariffe e sulle banche, gestisce i monopoli delle comunicazioni, dell'energia, delle compagnie ferroviarie e aeree.

Con gli anni Ottanta arriva una ventata di liberismo: i portabandiera di questa tendenza sono Reagan in America e la Thatcher in Gran Bretagna, ma anche governi socialisti come quelli francesi o democristiani come quello tedesco – dove Mitterand e Kohl "regnano" rispettivamente per ben 14 e 16 anni!

Helmut Kohl   *Ronald Reagan*

Bettino Craxi

dell'economia, consentono all'Italia di entrare nel G7, un direttorio mondiale composto dalle sette nazioni più industrializzate.
Nel 1987 Craxi, il cui governo viene sconfitto sul problema dell'energia nucleare, torna ad occuparsi del PSI.

LA LEGA

Le Regioni, previste dalla Costituzione ma attivate solo nel 1970 e di fatto bloccate per altri dieci anni, cominciano a gestire il loro potere durante i governi Craxi. Ma il nuovo regionalismo non riesce a dar voce ad un'Italia che è sempre stata divisa ma che ora, con il boom economico, vede le sue differenze ulteriormente accentuate.
Nel Veneto nasce nel 1982 la Liga Veneta, e nella seconda parte degli anni Ottanta un movimento più vasto, la Lega Nord, si afferma nelle elezioni nazionali (sempre più frequenti perché il Parlamento viene spesso sciolto prima della scadenza naturale).
Il leader della Lega, Umberto Bossi, è un personaggio apparentemente lontano dalle raffinatezze della politica romana, violento nei discorsi, spesso offensivo, poco colto – ma sa dar voce alla necessità di autonomia delle regioni del Nord, dove intanto si è consolidato il miracolo economico del Nord Est.

IL MIRACOLO DEL NORD EST E LA RICHIESTA DI AUTONOMIA

Nelle regioni del Nord Est che erano rimaste fuori dall'industrializzazione fin dall'Ottocento (Friuli, Veneto,

Trentino, Emilia) si afferma un nuovo modello economico: non più del tipo delle grandi industrie lombarde o piemontesi, che sapevano farsi sentire a Roma, ma migliaia di piccole industrie, che non riescono a difendere a Roma i loro interessi, legati soprattutto all'esportazione, e che hanno bisogno di leggi più semplici, snelle, flessibili e soprattutto di maggiore rapidità decisionale. In altre parole, di autonomia.
La Lega saprà dar voce a queste necessità, superando in molte aree il 35% dei voti. Per un certo periodo negli anni Novanta Bossi parlerà perfino di secessione della "Padania", ma in realtà il movimento porta ad una forma di federalismo che verrà introdotto con la riforma costituzionale del 2000 e rafforzato nel 2003.

Negli anni Ottanta il "Made in Italy" conquista il mondo

1985 Crisi tra Italia e Stati Uniti per gli attentati palestinesi

1983 d.c	1984 d.c	1985 d.c	1986 d.c	1987 d.c	1988 d.c	1989 d.c
1983 Craxi, socialista, a capo del governo	**1984** Muore Berliguer; il PCI supera la DC nelle elezioni		**1987** Fine del governo Craxi		**1989** Successo della Lega Nord alle elezioni	

Margaret Thatcher

- *Controversa: discussa, su cui esistono opinioni diverse.*
- *Concordato: trattato tra Stato e Chiesa.*
- *Operatività: tendenza non solo a promettere ma anche a fare.*
- *Liga: parola veneta che sta per "lega", cioè "alleanza".*

La cura liberista (privatizzazioni, concorrenza, ecc.) funziona nelle democrazie avanzate, ma in paesi in via di sviluppo si rivelerà, negli anni Novanta, un dramma totale: Messico, Brasile e Argentina entreranno in grave crisi, superata solo con sacrifici disumani.

François Mitterrand

La crisi della Prima Repubblica

Antonio Di Pietro

Nel 1989 cade il muro di Berlino e nel giro di due anni crolla l'impero sovietico: la situazione internazionale muta e l'Italia – che negli anni della guerra fredda era stata un paese di confine tra la NATO e l'Europa dell'Est – vede cambiare il proprio ruolo internazionale.

CAMBIANO I PARTITI

La politica italiana cambia: la convenzione non scritta che impediva l'accesso dei comunisti al governo (cfr. p. 103) non ha più senso e lo stesso Partito Comunista sente di dover cambiare: nel 1991 il nuovo segretario, Occhetto, scioglie il PCI, sostituito dal partito dei Democratici di Sinistra. La sinistra comunista si separa e nasce Rifondazione Comunista (che si scinderà in due pochi anni dopo...).

Nel 1994, anche se in maniera meno traumatica il Movimento Sociale Italiano, l'erede del fascismo, si trasforma in Alleanza Nazionale ed entra nel governo Berlusconi; nello stesso anno la DC riprende il

Giuliano Amato

nome del 1919, Partito Popolare, e si spacca in varie formazioni, parte nell'Ulivo di Prodi e parte nel Polo di Berlusconi.

Ma la fine della Prima Repubblica prende avvio da un evento all'apparenza insignificante: la scoperta di una piccola tangente a Milano.

IL 1992

Nel 1992 un funzionario socialista di Milano viene scoperto mentre incassa una tangente. Il funzionario spiega alla polizia il sistema delle tangenti e in due anni i maggiori esponenti socialisti e democristiani dei governi nazionali, regionali e comunali finiscono sotto accusa.

Ma nel 1992 succedono molte altre cose che segnano la storia d'Italia:

- In Sicilia vengono uccisi dalla mafia due giudici, Falcone e Borsellino, risvegliando gli italiani che si erano illusi che la mafia fosse ormai sconfitta;
- Le elezioni vedono un indebolimento di DC e PSI, un incremento dei DS (l'ex partito comunista) e soprattutto della Lega Nord;

1992 17 febbraio: con l'arresto di un funzionario socialista inizia "Mani Pulite"

1991 d.c	1992 d.c

1991 il Partito Comunista si scioglie; nasce il Partito dei Democratici di Sinistra
1991 in un referendum il 96% degli elettori dà inizio alle riforme elettorali

Il crollo dell'impero sovietico

Nel 1979 viene eletto Papa il polacco Wojtyla, l'anno dopo nasce in Polonia un movimento sindacale di matrice cattolica, Solidarnosc: il collegamento è chiaro a tutto il mondo.

Il problema politico del Papa polacco diventa ancora più evidente quando viene ferito in un attentato, molto probabilmente organizzato dai servizi segreti dell'area sovietica.

Comincia un decennio di crisi per l'impero sovietico, già segnato dalla crisi dei comunisti occidentali dopo le invasioni dell'Ungheria (1956), della Cecoslovacchia (1968) e dell'Afganistan (1982).

Gorbaciov cerca di rendere più trasparente e democratica la politica sovietica, ma ormai la popolazione non è più disposta a seguirlo;

Michail Gorbaciov

- *Si scinderà: dal verbo **scindersi**, dividersi.*
- *Tangente: denaro versato illegalmente in cambio di favori e vantaggi.*
- *Deficit: disavanzo, perdita.*
- *Svàluta: riduce il valore della valùta, della moneta.*
- *Irruente: impetuoso, violento.*
- *Avviso di garanzia: avviso che il Pubblico Ministero manda a chi è sottoposto a indagini.*
- *Macerie: rovine, resti.*

Francesco Cossiga

• Il Presidente della Repubblica, Cossiga, fa dichiarazioni violentissime sulla degenerazione del sistema politico italiano e si dimette provocatoriamente;

• A Maastricht si fonda l'Unione Europea, che in prospettiva prevede la moneta unica. L'Italia ha un deficit spaventoso e il nuovo capo del governo, Amato, esce dal sistema monetario europeo e svaluta la lira del 22%.
In questo clima drammatico esplode l'azione del pool di magistrati di Milano contro il sistema delle tangenti.

TANGENTOPOLI

Usata anche per arricchimento personale, ma soprattutto per finanziare le spese sempre più forti dei partiti, la corruzione sui lavori pubblici, sulle licenze commerciali, sulle attività produttive, sui contratti viene allo scoperto e sconvolge gli italiani: in ogni democrazia un certo livello di corruzione è presente, ma quello che si scopre in Italia va al di là di ogni immaginazione.
Il giudice Di Pietro, irruente, duro, emigrato in Germania da ragazzo, laureatosi mentre lavora come poliziotto,

incarna il desiderio di giustizia (o il "giustizialismo", secondo alcuni) degli italiani e diviene il simbolo di "Mani Pulite".
La televisione ogni giorno mostra immagini di funzionari, ministri, potentissimi industriali, ex-capi di governo posti sotto accusa da Di Pietro che li attacca con freddezza e li riduce tremanti, con la bava alla bocca. Alcuni si suicidano.
Il culmine si raggiunge quando Berlusconi, capo del governo dopo le elezioni del 1994, riceve un avviso di garanzia durante un vertice mondiale per la lotta contro la corruzione.
Gli italiani, in altre parole, affidano alla magistratura il compito di distruggere una classe politica, compiendo un errore gravissimo: la magistratura può (anche se non dovrebbe) svolgere una funzione di distruzione politica, ma non può svolgere l'altra funzione, la costruzione di una classe dirigente. Le conseguenze di questo errore saranno gravi perché alcuni dei nuovi partiti che nascono dalle macerie della Prima Repubblica sono impegnati a rinnovare l'Italia ma anche (secondo alcuni: soprattutto) a difendersi dalle accuse di corruzione di alcuni dei loro membri, perdendo quindi in credibilità e in serenità.

maggio e luglio: vengono assassinati a Palermo i giudici antimafia Falcone e Borsellino

28 giugno: Amato è nuovo capo del governo

16 settembre: inizia la svalutazione della lira: in pochi giorni tocca il 22%

1992 d.c   1992 d.c   1992 d.c

5 aprile: alle elezioni avanza fortemente la Lega Nord; calano DC e PSI
20 aprile: il Presidente della Repubblica Cossiga si dimette polemicamente

i regimi degli Stati satelliti (dalla Polonia alla Cecoslovacchia, dalla Germania dell'est all'Ungheria, la Romania, la Bulgaria) sono pure dittature poliziesche e appena arriva la ventata di "democrazia" dalla Russia di Gorbaciov iniziano a crollare. Nel 1989 crolla, fisicamente, il muro di Berlino – e in pochi mesi finisce la guerra fredda, si disintegra l'URSS, riacquistano l'indipendenza una dozzina di nazioni che erano parte dell'impero degli Zar o che erano state conquistate dopo la seconda guerra mondiale.
Si tratta di paesi tuttora in grave crisi, dovuta al passaggio da regimi privi di libertà politica ed economica a una logica liberista (cfr. p. 110) per i quali la classe dirigente e la struttura produttiva non sono ancora pronte.

Il Muro di Berlino

Verso la Seconda Repubblica

Silvio Berlusconi

*Il 1992 è l'**annus horribilis** della storia italiana recente: sindaci di grandi città, ministri, capi del governo, grandi protagonisti dell'economia, giorno dopo giorno vengono accusati, rinviati a processo: poco conta che le accuse siano poi confermate o smentite negli anni successivi: quello che conta è che lo stato d'animo della popolazione è di accusa generalizzata contro il sistema politico. Nasce in queste condizioni la Seconda Repubblica, basata almeno fino al 2000 su una riforma elettorale e non ancora su una riforma della Costituzione.*

1993: LA RIFORMA ELETTORALE

Per quasi cinquant'anni l'Italia ha avuto un Parlamento proporzionale: ogni punto percentuale portava sei deputati e tre senatori. Questo aveva polverizzato i partiti e reso sempre più difficile governare.

Inoltre, ciascuno poteva dare da una a quattro indicazioni di candidati: la diversa combinazione dei nomi, l'uso di iniziali del nome o del nome intero, ecc., rendevano possibile comprare voti e poi controllare che davvero il "venditore" avesse votato nel modo previsto. Questo sistema era stato bocciato in un referendum l'anno prima dal 95.6% dei voti.

Fu così che si passò ad una legge elettorale maggioritaria:

Romano Prodi

tre seggi su quattro vengono assegnati sulla base di una lotta diretta tra due candidati, chi vince prende il seggio, anche se ha solo un voto in più.

1994: "POLO DEL BUONGOVERNO" CONTRO "PROGRESSISTI"

Abbiamo visto che "contro" era stato usato e sentito profondamente nelle elezioni del 1948: democristiani contro comunisti, scelta occidentale contro scelta sovietica. Anche in questi anni, come conseguenza della riforma elettorale maggioritaria, si torna a parlare di scelte forti. Nel 1993 Amato si dimette; viene chiamato a succedergli il Governatore della Banca d'Italia, Ciampi, che forma un governo che include anche ministri del PDS, rafforza il risanamento economico e porta alle elezioni del 1994 secondo le nuove regole.

Nel frattempo Berlusconi, proprietario di tre reti televisive, di assicurazioni, di aziende costruttrici, legato ai socialisti, fonda Forza Italia, un partito in cui rifluiscono molti esponenti del vecchio Centro-Sinistra. Alle elezioni si presenta alleato con Alleanza Nazionale (l'ex-MSI) e con

1993 Governo Ciampi	**1996** L'Ulivo di Prodi sconfigge il Polo
1993 Riforma elettorale	

1993 d.c	1994 d.c	1995 d.c	1996 d.c	1997 d.c

1994 Vittoria del Polo di Berlusconi alle elezioni
1994 La Lega abbandona Berlusconi e si alea con i Progressisti

Le guerre balcaniche

Le guerre balcaniche hanno una lunga storia: caduto l'impero romano, si riversano sui Balcani popolazioni slave, che diventano cattoliche a nord e ortodosse nel centro-sud; durante il dominio turco molte popolazioni del centro-sud si convertono all'Islam.

Caduti nel 1919 gli imperi Austriaco e Ottomano, che hanno governato per secoli i Balcani impedendo che le rivalità diventino conflitti, inizia una forte instabilità, dovuta soprattutto all'espansionismo serbo a nord e albanese a sud, su cui giocano i tentativi di influenza dei tedeschi e degli italiani...

La seconda guerra produce la Yugoslavia (governata da Tito, che con il suo prestigio riesce a mantenere la pace interna tra le varie repubbliche) e l'Albania, il cui dittatore, Hoxa, ottiene l'appoggio della Cina.

La fine della guerra fredda e quindi dei condizionamenti esterni lascia libero sfogo alle antiche

- *Smentite: dal verbo smentire, cioè negare, dimostrare il contrario.*
- *Candidato: chi si presenta alle elezioni per essere votato.*
- *Risanamento: miglioramento.*
- *Rifluiscono: tornano ad affluire.*
- *Coalizioni: alleanze di partiti.*

la Lega di Bossi e vince contro i Progressisti (parte della DC, dei socialisti e il PDS). Il governo Berlusconi dura pochi mesi, poi la Lega toglie il suo appoggio e lo offre a un governo "tecnico", guidato da un altro dirigente della Banca d'Italia, Dini, che resta in carica due anni.

1996 E 2001: "POLO DELLE LIBERTÀ" CONTRO "ULIVO"
Nel 1996 si torna alle elezioni anticipate: ormai i due schieramenti sono chiari, da un lato il Polo di Berlusconi, dall'altro l'Ulivo, guidato da Prodi (che cade nel 1998 abbandonato dall'estrema sinistra). L'Ulivo vince e governa per 5 anni.
Il principale obiettivo, l'ingresso nell'euro, la moneta unica europea, viene raggiunto nel 1998 e la spinta dell'Ulivo pare spegnersi, lasciando spazio nel 2001 per la vittoria molto netta del Polo, che porta al governo per la seconda volta Berlusconi, che questa volta inserisce Bossi tra i ministri per garantirsene la fedeltà.

LA SPINTA FEDERALE
C'è un altro effetto fondamentale della riforma elettorale del 1993: nei grandi comuni il sindaco non risulta più da accordi tra i partiti, ma viene indicato in precedenza dalle due coalizioni, per cui le elezioni diventano davvero maggioritarie; inoltre, al vincitore viene garantita la maggioranza nel consiglio comunale.

Nel 2000 la legge viene estesa anche alle regioni: i presidenti diventano dei "governatori", forti dell'elezione personale, e questo dà loro un ruolo molto più incisivo nei rapporti con il potere centrale.
L'ultimo atto dell'Ulivo, nel 2001, è la modifica della costituzione, che attribuisce molti poteri alle regioni realizzando una forma di federalismo che tuttavia non basta al Polo che la accentua nel 2003.
In dieci anni, l'Italia non è più riconoscibile rispetto a quella dei primi anni Novanta.

Palazzo del Quirinale sede del Presidente della Repubblica

1998 Prodi sconfitto in Parlamento *1998* L'Italia entra nell'euro		*2000* Elezioni regionali: eletti i nuovi presidenti "governatori"		*2002* Scompare la lira, entra in vigore l'euro	
1998 d.c	1999 d.c	2000 d.c	2001 d.c	2002 d.c	2003 d.c

2001 Modifica della Costituzione in direzione federale
2001 Elezioni politiche vinte da Berlusconi

inimicizie e alle differenze religiose: la Yugoslavia si disintegra e in dieci anni si succedono la guerra tra Serbia e Croazia, quella della Bosnia, quella del Kossovo e la guerriglia in Macedonia, con scene di barbarie – pulizie etniche, fosse comuni, stupri di massa – accanto alla guerra ultramoderna della NATO, scene che riempiono di orrore gli schermi del mondo, dove la gente comincia finalmente a "vedere" come è fatta davvero una guerra.

Sbarco di immigrati clandestini

L'Italia in Europa

L'Italia è stata "europeista" fin dall'inizio: quando si parla dei tre padri dell'idea di un'Europa unita si citano il francese Schumann, il tedesco Adenauer e l'italiano De Gasperi (cfr. p. 102).

Le monete da 1 e 2 euro hanno una faccia comune a tutta l'Ue, l'altra diversa per ogni Stato. Quelle italiane hanno "L'uomo di Vitruvio" di Leonardo e il profilo di Dante

RE-INVENTARE LA STORIA D'EUROPA

Finita la seconda guerra mondiale i grandi spiriti in Europa si resero conto che bisognava reinventare la storia del nostro continente: per secoli, come hai potuto vedere nei capitoli precedenti, l'Europa è stata teatro di guerre, assalti, massacri, culminati nelle due guerre del Novecento, separate da un ventennio di orrore sotto i nomi di Hitler, Franco, Stalin, Salazar, Mussolini.
Bisognava cambiare, inventare un'Europa pacifica.
Cioè, bisognava unire l'Europa.

DAL MEC ALLA CEE

Nel 1951 venne creata la CECA, la Comunità Europea del Carbone e dell'Acciaio: un trattato apparentemente solo economico, ma la cui importanza è fondamentale se si pensa che il carbone ed il ferro erano stati la causa di molte delle guerre, soprattutto tra la Germania e i suoi vicini.
Ma nel 1957 tre grandi stati (Germania, Francia e Italia), insieme ai tre piccoli stati del BeNeLux (Belgio, Paesi Bassi e Lussemburgo), creano il Mercato Comune Europeo con il Trattato di Roma. La parola chiave è "mercato", quindi prevale ancora un aspetto economico: ma l'idea è ben altra!
Nel 1973 Inizia la trasformazione del "mercato" in "comunità", con l'ingresso di paesi come la Gran Bretagna, e poi via via la Spagna, il Portogallo, la Grecia e tutti gli altri stati che formano il gruppo dei dodici stati comunitari (per questo la bandiera dell'Ue ha dodici stelle: anche se poi si sono aggiunti altri paesi si è deciso di non cambiarla).
Nel 1979 viene eletto per la prima volta il Parlamento Europeo, con sede a Strasburgo, capitale di quell'Alsazia che per secoli era stata terreno di scontro tra Francia e Germania.

L'UNIONE EUROPEA

Nel 1992 in una cittadina tra Belgio, Olanda e Germania, a Maastricht, quindici stati firmano un trattato che crea l'Unione, non più una semplice "comunità", Europea.
Si mette in movimento un'azione di progressiva uniformazione dei sistemi giuridici dei vari paesi; nasce

---

1955 *L'Italia aderisce alla Comunità Europea del Carbone e dell'Acciaio*

1955 d.c	1960 d.c	1965 d.c	1970 d.c	1975 d.c	1980 d.c

1957 *Trattato di Roma: nasce il MEC*

1973 *Il MEC si allarga e diventa CEE*

Una rottura drammatica

L'11 settembre 2001 due aerei dirottati si schiantano sulle torri gemelle di New York. È la conseguenza più evidente di un problema localizzato e ben noto (il conflitto tra Israeliani e Palestinesi, iniziato da trent'anni e ogni anno apparentemente vicino alla soluzione), ma anche di uno scontro tra chi ritiene che la vita pubblica debba essere regolata dagli accordi tra le persone (o tra i partiti che le rappresentano), sanciti in una costituzione, e chi ritiene che nei testi sacri sia già organizzata la vita sociale di tutti e per sempre. È una frattura che attraversa sia il mondo islamico sia quello cristiano – basti pensare ai trent'anni di guerra religiosa in una regione dell'Unione Europea, l'Irlanda del Nord.
L'11 settembre il mondo occidentale ha "scoperto" che ci sono persone pronte non solo a uccidere (è, purtroppo, nella tradizione umana...) ma anche a morire per

11 Settembre 2001 - l'attentato alle Torri Gemelle

Particolare delle banconote italiane dell'ultimo secolo

la Commissione, cioè il governo europeo, con sede a Bruxelles; il trattato di Schengen elimina nel 1999 le frontiere tra quasi tutti gli stati, per cui il volo Milano-Vienna è un domestic flight, un volo "interno" che annulla la memoria di guerre e confini.

Ma i fatti fondamentali restano due: l'accettazione della moneta unica da parte di 12 paesi dell'Unione (1999; l'euro entra effettivamente nelle tasche di 300 milioni di europei nel 2002) e l'unificazione dello spazio giudiziario (impostato nel 2001, entra in vigore progressivamente negli anni succesivi), nell'ambito della campagna anti-terrorismo seguita all'attentato alle torri gemelle di New York.

L'UE COME ÀNCORA DI SALVEZZA

Abbiamo visto nelle pagine precedenti la grande crisi politica e morale degli anni Novanta, simboleggiata da "Mani Pulite" (cfr. p. 112-115).
Questa crisi portava alla luce anche gli effetti economici di "tangentopoli": un'economia di mercato non poteva reggere se c'erano alcune aziende che vincevano gli appalti non per la loro qualità ma perché pagavano tangenti.
Il governo di Giuliano Amato fece la scelta chiave nel 1992: decise di aderire al progetto di moneta unica europea partendo da una valutazione realistica della moneta italiana (ci fu una svalutazione del 22%!); i successivi governi di Ciampi e di Dini (entrambi per anni ai vertici della Banca d'Italia) proseguirono nell'azione, fino

all'elezione di Prodi nel 1996 che puntò tutto sul risanamento del bilancio e l'ingresso nell'area dell'euro: furono anni durissimi per gli italiani, con tasse altissime per risanare il deficit. Ma gli italiani non si lamentarono, sia perché erano consapevoli che fuori dalla moneta unica il sistema economico italiano sarebbe crollato, sia perché la delusione per la classe politica decimata da tangentopoli era tale che, consciamente o non, erano tutti disposti ad affidarsi ad una classe dirigente europea, ritenuta meno corruttibile e più seria.

1992 Il Trattato di Maastricht trasforma la CEE in Ue

2002 L'euro sostituisce le monete locali in 12 stati dell'Ue

1985 d.c	1990 d.c	1995 d.c	2000 d.c	2002 d.c

1999 Il trattato di Schengen annulla i controlli di frontiera tra 12 stati della Ue

---

uccidere chi non la pensa come loro, scegliendo le vittime a caso con attentati terroristici. Questo ha generato una sensazione di paura ed insicurezza che si è sfogata su un "nemico", preso a simbolo di ogni male (Osama Bin Laden), ma può alla lunga finire in una guerra fredda tra due grandi civiltà (quella cristiana e quella islamica) anziché in una lotta tra laici (per quanto fortemente religiosi sul piano personale) e integralisti che vogliono imporre la loro visione del mondo anche uccidendo a caso.
Questa realtà vale per il mondo intero, ma anche per l'Italia, tradizionalmente cristiana (anche se con solo il 25% di "praticanti"), che ospita una comunità islamica numerosa e in forte crescita.

- *Corruttibile: che può essere corrotto.*
- *Dirottati: dal verbo **dirottare**, far deviare un aereo.*
- *Si schiantano: verbo riflessivo **schiantarsi**, urtare violentemente e quindi esplodere.*
- *Sanciti: imposti per mezzo di autorità.*

Il paesaggio nel secolo dei cambiamenti

UN TERRITORIO MARTORIATO

L'Italia ha sempre avuto un territorio martoriato: terremoti, frane e inondazioni sono ricorrenti nella nostra storia.

Il Novecento era iniziato con il grande terremoto di Messina, e seguirà poi con quelli del Belice in Sicilia nel 1968, in Friuli nel 1976, in Irpinia, alle spalle di Napoli, nel 1982: ogni volta si perdono vite, monumenti e un patrimonio costruito con secoli di fatica.

Anche le inondazioni sono traumatiche, soprattutto quelle del Po nel 1951 e 1956, e quella di Firenze e Venezia nel 1966.

Ma se è vero che i monti e i fiumi italiani sono instabili, è ancor più vero che spesso è l'uomo che si mette a rischio (si pensi al milione di persone che vivono sui pendii del Vesuvio o dell'Etna) o che provoca i guai: abbiamo tolto il metano sotto il Po per cui si è abbassato il terreno, abbiamo costruito in maniera folle per cui alla fine le colline franano, abbiamo smesso di ripulire i torrenti e quindi durante le piene di primavera portano giù tonnellate di rami, e così via.

L'effetto di uno dei tanti terremoti che scuotono l'Italia

Una casa abbandonata dopo l'alluvione del Po del 1951

Un paese in restauro

Il patrimonio di case in Italia è spesso molto antico, sia nelle città (quasi tutte hanno un centro storico con edifici carichi di secoli) sia nelle campagne.

Dagli anni Ottanta in poi è nata una fortissima attività di restauro. Nelle città c'è spesso un contributo dello Stato, delle Regioni o dei Comuni, nelle campagne invece i restauri sono spesso opera di persone che abitano in città e acquistano vecchie case di contadini per passare il fine settimana in campagna.

Una vecchia casa di contadini. Probabilmente tra pochi anni sarà restaurata come quella in basso!

Un territorio martoriato dalla modernizzazione

Quando atterrate a Venezia, guardando giù dall'aereo se siete seduti da un lato avete la città più delicata del mondo, e pare che la conservazione di quel patrimonio sia perfetta; se siete seduti dall'altro lato vedete Marghera, una raffineria e una zona industriale che per decenni hanno inquinato aria, acqua, terra: è il simbolo dell'industrializzazione italiana, che per quarant'anni non si è curata dei disastri ambientali.

Oggi le cose sono cambiate abbastanza, c'è una crescente coscienza dei problemi ambientali, ci sono forti campagne contro l'inquinamento elettrico e le microonde telefoniche – ma i segni di un'industrializzazione selvaggia saranno molto lunghi da cancellare.

Uno dei fenomeni legati all'industrializzazione è stata
la crescita di enormi periferie-dormitorio, in cui si sono
ammassati tra gli anni Cinquanta e gli Ottanta milioni
di persone che hanno abbandonato le campagne per
diventare operai o che hanno creato i servizi – negozi,
trasporti, ecc. – che tengono vive le grandi città.
Dagli anni Ottanta in poi è in corso una tendenza opposta:
molte case di campagna abbandonate dai contadini, sono
diventate seconde case per la classe media, che vi trascorre
i fine settimana; ma sono molti anche coloro che, a causa
dei prezzi proibitivi e della cattiva qualità della vita nelle
città, hanno scelto di vivere in campagna, raggiungendo
ogni giorno la città per lavorare ma rifiutando di viverci.

Una vecchia casa restaurata

Periferia

Facciamo il punto

Attività 1:
Indica quali delle frasi a), b), c) o d) completa correttamente la frase iniziale.

Nel 1922 Mussolini prende il potere in Italia

a   con un colpo di stato militare

b   legalmente, nominato dal re

c   detronizzando il re

d   truccando le elezioni

A seguito delle elezioni del 1924 Giacomo Matteotti denuncia

a   la destra

b   la sinistra

c   il re

d   gli elettori

Quando si parla di "Ventennio" in Italia ci si riferisce agli anni compresi circa tra

a   1880-1900

b   1900-1920

c   1920-1940

d   1940-1960

I Patti Lateranesi vennero firmati tra

a   Italia e Vaticano

b   Italia e Germania

c   Italia, Germania e Vaticano

d   Germania e Vaticano

Allo scoppio della Guerra l'Italia

a   si schiera subito al fianco della Francia

b   si schiera subito al fianco della Germania

c   attacca la Francia

d   non si schiera al fianco di nessuno

Attività 2:
Metti in relazione ogni data con l'avvenimento corrispondente.

Mussolini fonda la Repubblica di Salò	inverno 1944/'45
I tedeschi lasciano Milano	9 settembre 1943
Badoglio firma l'armistizio con gli Alleati	25 aprile 1945
La famiglia reale e il governo si trasferiscono in Puglia	10 luglio 1943
Tedeschi e Alleati combattono sugli Appennini	8 settembre 1943
Gli Alleati sbarcano in Sicilia	12 settembre 1943

Attività 3:
Metti in ordine cronologico i seguenti avvenimenti anche indicando l'anno o il periodo in cui avvengono.

- Nascono due nuovi schieramenti: il "Polo del buongoverno" e i "Progressisti"

- Un referendum nazionale pone fine alla Monarchia e dichiara la nascita della Repubblica.

- I principali partiti politici si riuniscono in due coalizioni: "Il Polo delle libertà" da una parte (centro-destra) e l'"Ulivo" dall'altra (centro-sinistra).

- Il Governo italiano ottiene un prestito di 100 milioni di dollari dagli Stati Uniti per la ricostruzione del paese.

- Nelle regioni del Nordest si afferma un nuovo modello economico basato sulla piccola e media impresa, un modello che necessita di autonomia da Roma per continuare a prosperare.

- Aldo Moro e Fanfani diventano i due uomini-guida della DC.

- L'euforia per la liberazione dai nazisti non dura a lungo: l'industria del nord, le strade, le ferrovie, sono distrutte; l'inflazione è altissima.

- A seguito della caduta del Muro di Berlino e dell'opposizione tra USA e URSS anche i partiti politici italiani cominciano a trasformano e a rinnovarsi.

- L'Italia entra a far parte del G7.

- A seguito della pubblicazione di due encicliche papali, Moro "apre" alla sinistra più moderata.

- Entra in vigore la moneta unica dell'Unione Europea, l'Euro, alla quale l'Italia aderisce da subito.

- Viene istituito il Mercato Comune Europeo al quale aderisce fin da subito anche l'Italia.

- Studenti e operai scendono in piazza insieme per protestare contro le ingiustizie sociali.

- Il centralismo romano e il malcontento diffuso nel nord del paese favoriscono la nascita di partiti come la Liga Veneta e la Lega Nord.

- Dopo due anni di lavoro di un'Assemblea Costituente entra finalmente in vigore la Costituzione.

- Il prodotto nazionale cresce del 47% e per la prima volta il numero degli operai supera quello dei contadini.

- Scoppia Tangentopoli che crea una vera e propria rivoluzione tra gli schieramenti politici italiani.

- De Gasperi viene eletto Presidente del Consiglio e la DC diventa il primo partito del paese.

- Nasce la strategia del terrore che mira a destabilizzare il paese: ne fanno parte sia estremisti di destra che di sinistra.

- La DC viene sconfitta alle elezioni e il Governo passa nelle mani del Partito Socialista Italiano guidato da Bettino Craxi.

La parola agli storici

Giacomo Matteotti

LE ELEZIONI DEL 1924 E GIACOMO MATTEOTTI
Le elezioni del 1924 si tennero all'insegna della paura e degli imbrogli:

"Gli elettori infidi – ordinò un alto esponente fascista – dovranno votare uscendo dalla cabina con la scheda aperta, in modo che i nostri rappresentanti possano controllarli. Il contegno che bisogna tenere verso gli avversari deve essere tale da indurli a non votare".

Alle elezioni i fascisti si presentarono in una lista che comprendeva molti esponenti liberali (il cosiddetto "listone") e che ottenne circa il 65% dei voti; i popolari ottennero il 9%, le sinistre (socialisti e comunisti) il 15%: il Parlamento era ormai in mano ai fascisti.
Quando la Camera si riunì per convalidare i risultati delle elezioni, il deputato socialista Giacomo Matteotti (Fratta Polesine-Rovigo 1885 – Roma 1924) denunciò tutte le illegalità, le intimidazioni e gli abusi che si erano verificati durante le elezioni. Il suo discorso, duro e documentato, fece impressione. Il giorno dopo il quotidiano fascista Il popolo d'Italia scrisse: "Se l'onorevole Matteotti avesse la testa rotta, ma veramente rotta, non se ne meravigli". Quelle parole suonarono come una condanna: Matteotti fu rapito da una banda di fascisti che da tempo effettuava spedizioni punitive per conto del Ministero degli Interni, e ucciso. Il ritrovamento del cadavere, due mesi più tardi, provocò un'ondata di indignazione in tutto il paese e anche negli ambienti che fino a quel momento avevano sostenuto Mussolini.

Adattato da Calvani, V. & Giardina, A. *Dentro la storia 3.*

L'ULTIMO DISCORSO DI MATTEOTTI ALLA CAMERA
Quando il presidente dà la parola all'onorevole Matteotti, dagli scanni della destra partono le prime esclamazioni di odio. In piedi al suo banco [...] calmo, sicuro di sé, Matteotti lascia che gli energumeni si sfoghino [...] Senza premesse attacca [...]

Matteotti. "Noi abbiamo avuto da parte della Giunta delle elezioni la proposta di convalidazione di numerosi colleghi. Ci opponiamo a questa proposta perché, se nominalmente la maggioranza governativa ha ottenuto quattro milioni di voti, noi sappiamo che questo risultato è la conseguenza di una mostruosa violenza".

Dai loro banchi i fascisti mostrano i pugni all'oratore [...]

Matteotti: "Per dichiarazione esplicita del capo del fascismo, il governo non considera la sua sorte legata al responso elettorale. Anche se messo in minoranza sarebbe rimasto al potere [...]

Starace: "Proprio così, abbiamo il potere e lo conserveremo".

Adesso tutta la Camera grida contemporaneamente. Una voce erompe: "Vi insegneremo a rispettarci a colpi di calcio di fucile nella schiena!"

Matteotti: "Per sostenere questi propositi del governo, c'è una milizia armata [...] che è [...] al servizio di un partito [...]".
[...]

- Infidi: *di cui non ci si può fidare.*
- Contegno: *atteggiamento.*
- Indurli: *convincerli, costringerli.*
- Convalidare: *confermare, approvare.*
- Intimidazioni: *minacce.*
- Indignazione: *riprovazione, collera.*
- Scanni: *i posti a sedere in parlamento.*
- Energumeni: *persona in preda all'ira, accecata dalla passione violenta.*
- Convalidazione: *riconoscimento legale.*
- Nominalmente: *solo per quanto riguarda l'apparenza.*
- Erompe: *dal verbo erompere, uscire fuori all'improvviso.*
- Calcio di fucile: *parte posteriore del fucile che si appoggia alla spalla.*
- Milizia armata: *corpo di uomini armati.*

Adesso l'oratore denuncia la lunga serie delle violenze […]. Poi continua:

Matteotti: "Badate, il soffocamento della libertà conduce ad errori dei quali il popolo ha provato che sa guarire. La tirannia determina la morte della nazione […] Voi volete rigettare il Paese indietro, verso l'assolutismo […]".

In piedi la sinistra acclama Matteotti. A destra si grida: "Traditore! Venduto! Provocatore!".

"E adesso – dice sorridendo Matteotti ai suoi amici – potete preparare la mia orazione funebre".

Adattato da Pizzagalli, *La storia come e perché 3.*

IL TERRORISMO

Proprio mentre le lotte operaie erano nel pieno del loro svolgimento, il 12 dicembre 1969, il clima politico fu oscurato da un evento gravissimo: l'esplosione di una bomba alla Banca dell'Agricoltura di Piazza Fontana, a Milano, che provocò 16 morti e centinaia di feriti. L'attentato sconvolse l'opinione pubblica e ben presto al dolore e allo sdegno per le vittime si aggiunse lo sconcerto per la poca chiarezza con cui venivano condotte le indagini di polizia. Solo dopo anni cominciò a farsi strada la convinzione che si trattasse di un complotto per destabilizzare lo Stato del quale facevano parte gruppi di estrema destra, il terrorismo nero, ed esponenti dei servizi segreti che miravano a diffondere il panico nella popolazione per imporre in Italia un governo autoritario […].
Mentre il terrorismo "nero" di ispirazione neofascista portava il suo attacco allo Stato, nasceva dagli ambienti dei gruppi dell'estrema sinistra un'altra forma di eversione, il *terrorismo rosso*. Facendo leva sul disagio sociale diffuso nel paese e sul sentimento di sfiducia nei confronti dello Stato di una parte della popolazione, in questi ambienti si venne affermando l'idea che fosse giunto il momento di preparare la rivoluzione: si propagandava dunque la necessità di passare alla lotta armata contro tutti i rappresentanti del potere.
Raggruppati nella formazione delle Brigate Rosse o in altri nuclei, gruppi di giovani entrarono nella lotta armata clandestina: sarebbe interminabile l'elenco delle loro vittime – magistrati, politici, sindacalisti, poliziotti, giornalisti, funzionari dello Stato, professori – tutti considerati simboli del potere e per questo "giustiziati" a sangue freddo all'uscita di casa, sotto l'ufficio o nei "covi" dove erano stati rinchiusi.

Adattato da Calvani, V. & Giardina, *A. Dentro la storia 3.*

1969 Milano, Banca dell'agricoltura

1974 Brescia, Piazza della Loggia

- *Rigettare*: rimandare indietro, far retrocedere.
- *Sdegno*: risentimento e disprezzo, indignazione.
- *Sconcerto*: forte turbamento e perplessità.
- *Complotto*: intrigo organizzato di nascosto alla persona a cui deve portare danno.
- *Destabilizzare*: rendere instabile, insicuro.
- *Eversione*: abbattimento o rovesciamento di un ordine costituito.
- *Facendo leva*: prendendo spunto, appoggiandosi a.
- *Si propagandava*: si diffondeva l'idea.
- *Covi*: tane, rifugi, nascondigli segreti.

Le tappe che hanno portato alla nascita dell'Euro

Dicembre 1969
I Capi di Stato e di Governo dei sei Paesi firmatari del Trattato di Roma (marzo 1957) si organizzano in gruppo sotto la direzione del presidente del Lussemburgo, per discutere tempi e modi dell'unità monetaria.

Marzo 1979
Il Sistema monetario europeo viene lanciato come zona di stabilità valutaria. Nasce anche l'Ecu, European Currency Unit: un "paniere" al quale partecipano inizialmente le valute di Belgio, Danimarca, Francia, Irlanda, Italia, Lussemburgo, Paesi Bassi, Germania Ovest.

Aprile 1989
Il consiglio europeo stabilisce i tempi per dare il via ufficialmente alla prima fase dell'unione monetaria: luglio 1990.

1° luglio 1990
Prende l'avvio l'Unione politica e monetaria europea (Uem). Da questa data i capitali possono circolare liberamente in Europa. Vengono aboliti controlli e restrizioni nei cambi tra le monete europee. Tutti i cittadini europei possono investire i propri risparmi in qualsiasi Paese della Comunità.

Dicembre 1991
Il Consiglio europeo si tiene a Maastricht e approva il nuovo Trattato di Unione europea che comprende l'Unione economica e monetaria (Uem) e che stabilisce le condizioni per partecipare all'Uem.

Gennaio 1993
Entra in vigore il Mercato unico con l'abolizione delle frontiere doganali: libera circolazione di persone, capitali, merci e servizi in Europa.

Novembre 1993
Entra in vigore il trattato di Maastricht.

Gennaio 1994
A Francoforte viene creato l'Istituto monetario europeo (Ime), precursore della Banca centrale europea. Nel corso del '94 prende avvio lo Spazio economico europeo, il più grande mercato comune del mondo, con 370 milioni di consumatori.

Dicembre 1995
Il consiglio europeo si riunisce a Madrid, sancisce la nascita della nuova moneta unica e le assegna il nome di Euro.

Dicembre 1996
Il Consiglio europeo approva il regolamento della nuova moneta unica e stabilisce i parametri indispensabili al funzionamento dello Sme.

Marzo 1998
La Commissione europea individua 11 Stati membri dell'Ue per la partecipazione alla Moneta unica.

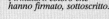

• *Firmatari: coloro che hanno firmato, sottoscritto.*

Maggio 1998
Il Consiglio europeo conferma quali Paesi possono far parte della fase finale, con l'adozione
dell'euro. Fra gli 11 c'è anche l'Italia. Fissati i tassi di cambio bilaterali tra gli Stati membri.

Dicembre 1998
Vengono fissati dalla Banca Centrale Europea i cambi definitivi tra le monete europee e l'euro.

1° gennaio 1999
Nasce l'euro, moneta unica di Belgio, Germania, Spagna, Francia, Irlanda, Italia, Lussemburgo,
Paesi Bassi, Austria, Portogallo e Finlandia. Per il momento si tratta solo di una moneta
"virtuale", che non si può toccare con mano. La contabilità di banche, istituzioni europee,
amministrazioni degli Stati europei, però, viene effettuata in euro, e così pure gli scambi in
Borsa. Per le aziende inizia la fase "transitoria": non sono obbligate a tenere la contabilità in
euro, però molte hanno incominciato subito a preparare i bilanci e i listini nella nuova moneta.
La doppia valuta figura su buste paga, bollette telefoniche, estratti conto bancari e prezzi esposti
nei negozi.

1° gennaio 2002
Arriva l'euro. Le lire, così come le altre monete, non spariranno ancora, ma saranno
gradualmente ritirate dal mercato: si prevede che nel giro di due mesi verranno ritirati
3 miliardi di banconote in lire.

1° marzo 2002
Le valute degli stati europei aderenti all'euro cessano di avere corso legale. Chi ancora avrà
da parte delle banconote in lire potrà cambiarle solo nelle banche centrali.

Adattato dal sito de Il *Corriere della Sera* www.corrieredellasera.it

• *Tasso di cambio bilaterale:
valore reciproco del
cambio tra due valute,
monete nazionali.*

• *Buste paga: stipendi.*

• *Cessano: dal verbo* **cessare**,
smettere.

PROGETTO CULTURA ITALIANA

Guerra Edizioni ha elaborato un progetto che permette anche agli studenti stranieri di entrare nell'universo della cultura italiana senza perderne la sua componente estetica.

Una collana che comprende quattro agili volumi a colori caratterizzati da:

- un ricco apparato iconografico che integra il contenuto dei testi;
- una lingua semplice e accattivante capace di narrare in modo concluso e sintetico la cultura d'Italia;
- una serie di schede di verifica della comprensione e spunti per la riflessione che motivano lo studente a successivi approfondimenti.

Profilo di Storia italiana per stranieri
P. E. Balboni - M. Santipolo

Storia e testi di letteratura italiana per stranieri
P. E. Balboni - M. Cardona

Geografia d'Italia per stranieri
P. E. Balboni - M. Voltolina

Arte italiana
M. Angellino - E. Ballarin
S. La Sala
(in preparazione)

Quaderni di cinema italiano per stranieri

Completa il progetto una raccolta di *Quaderni di cinema italiano per stranieri* con informazioni sul regista, un'analisi approfondita di alcune tra le scene più significative e brevi riflessioni sulla lingua italiana.

TITOLI DISPONIBILI:

Nuovo Cinema Paradiso
Pane e Tulipani
La vita è bella
Il Gattopardo
La strada
Le notti di Cabiria
Mediterraneo
Pinocchio

Volendo provocare gli insegnanti di italiano riuniti dall'ASLI nel febbraio 2001 a Roma, Paolo E. Balboni ha fatto osservare come l'insegnamento comunicativo della lingua abbia di fatto cancellato una parte della comunicazione, quella a fini estetici – letteratura, cinema, canzoni. È vero, dice Balboni, che questi testi vengono usati nei manuali – e nel nuovo corso di cui Balboni è coautore, **Rete!**, di testi letterari e di canzoni ce ne sono molti, soprattutto ai livelli 2 e 3 – ma spesso essi vengono usati solo come campioni di lingua, senza cercare di penetrare anche la loro natura estetica. Ora, se è vero che perfino nei manuali di italiano di base sono presenti dei testi letterari, nel senso più ampio del termine, ancor più vero è che la formazione piena di uno studente di italiano – dal liceo all'università, dai conservatori ai seminari e alle accademie d'arte – non può escludere una dimensione culturale e letteraria.

Purché per "letteratura" non si intenda la storia della letteratura, ma un'educazione letteraria, cioè l'avviamento alla lettura intelligente, che cerca il piacere del testo, che inserisce quel testo nel suo contesto storico e nel più vasto ipertesto delle forme artistiche. Ma come fare, con che strumenti, con quale idea di fondo?

I problemi di fondo. E le risposte

Nel riquadro abbiamo enucleato i problemi principali per lo studente, e su quella base abbiamo chiesto a Balboni e Cardona (entrambi collaboratori di **In.IT**) di pensare come rispondere a tali esigenze, curando un volume di storia della letteratura e della civiltà italiana, con testi letterari e attività didattiche.

La linea editoriale è stata questa:

a. difficoltà di fronte alla vastità del patrimonio culturale

come inserire sette secoli di grandissima letteratura in un formato motivante per stranieri? Questa è stata la maggiore difficoltà – ma il risultato è confortante: trascurando i minori, che non interessano uno straniero, si è riusciti ad alternare un centinaio di pagine di storia letteraria e un centinaio di pagine di testi con relative attività, distillando il meglio della nostra tradizione. La dimensione contenuta consente anche costi ridotti, dettaglio importante in molti paesi

b. difficoltà di motivazione

molti adolescenti e giovani stentano a comprendere l'importanza della dimensione culturale: ciò ha indotto una seconda scelta del tutto innovativa nel panorama editoriale didattico: un manuale breve, non il temibile "mattone", e interamente a colori: bello, attraente, motivante. Inoltre, per evitare che lo studente si sperda nella storia culturale, pur compressa in 230 pagine, ogni coppia di pagine, sinistra e destra, è autonoma in sé, è conclusa, ha una argomento chiaro, indicato nella striscia in alto; e ogni secolo o movimento è caratterizzato da un colore, in modo da conferire unitarietà visiva che assume enorme valore didattico in quanto semplifica la vita allo studente

Gli stranieri che studiano - meglio sarebbe dire: si avvicinano - alla letteratura italiana hanno tre difficoltà fondamentali:

a. la lingua dei testi, spesso difficile anche per liceali italiani
b. la microlingua della critica

letteraria, sia intesa come storia sia come riflessioni ed analisi sui testi
c. la contestualizzazione culturale: cosa succedeva in Italia nel primo Cinquecento? Che caratteristiche ha l'architettura Romanica?

Un progetto editoriale ormai in dirittura d'arrivo ha cercato di dare a questi problemi una risposta mirata, considerando le caratteri-stiche proprie degli studenti stranieri nei licei, nelle università, nei conser-vatori, nelle accademie artistiche.

c. difficoltà di contestualizzazione
si è deciso di mettere a pie' di pagina di ogni doppia pagina di storia letteraria un *bandeau* dedicato alla storia politica, religiosa, architettonica, artistica, ecc.: testi semplici e brevissimi, con una o più foto di supporto: se si parla di romanico, lo studente deve poter vedere una facciata romanica! Inoltre, per allargare il concetto di "testo letterario" ad altri tipi di testo presenti nel contesto culturale, si sono anche inseriti esempi di libretti d'opera ottocenteschi o di canzoni d'autore del secondo Novecento, nonché qualche pagina sul cinema italiano

d. difficoltà nella lingua della critica
i manuali pensati per italiani non sono utilizzabili con stranieri, pena la demotivazione della maggioranza degli studenti di fronte ad un compito eccessivo. I due curatori hanno quindi chiesto alla dozzina di autori, tutti esperti di insegnamento a stranieri, di mantenere una lingua semplice, di spezzare i loro testi in brevi paragrafi, di non inserire riferimenti non trasparenti. Per facilitare poi lo studente, in appendice c'è un glossario che, senza pretese di teoria letteraria, spiega anche parole "semplici" come *poesia, prosa, dramma, romanzo*, oltre alle principali figure retoriche e ad alcune nozioni di narratologia (*fabula, storia, intreccio*, ecc.). Si focalizzano anche alcuni usi che possono trarre in inganno, ad esempio "drammatico" che in italiano quotidiano non significa "teatrale", "commediografo" per un autore di tragedie, "prosaico" che non ha a che fare con la prosa... Ma la lingua della critica è importante: il docente che vuole farla conoscere trova alla fine di ogni secolo o movimento due o più *brevi* testi critici, da Croce a Sapegno, da Momigliano a Getto, Fortini, Siciliano, Gioanola, ecc.

e. difficoltà dei testi
i testi letterari sono spesso difficili; le note non sempre servono o bastano. Quindi una delle decisioni chiave del progetto è stata quella di affiancare quasi tutti i testi da una parafrasi in italiano odierno, in modo da risolvere il problema della comprensione, affidando alle note alcune spiegazioni culturali o di riferimenti culturali non sempre noti, dalla mitologia Greca agli eventi storici, come l'occupazione spagnola di Milano cui fa riferimento Manzoni. In considerazione della difficoltà di un testo letterario, tranne in un caso (Boccaccio) ogni testo è stato contenuto in una o due pagine, incluse parafrasi ed attività didattiche: meglio dare un gioiello breve piuttosto che una collana di gioielli di cinque pagine, che fa fuggire altrove la mente dello studente

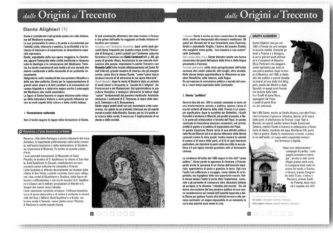

f. difficoltà del lavoro di analisi
ogni testo è stato corredato da una breve verifica della comprensione, da alcuni spunti di analisi testuale (metrica, figure retoriche, ecc.) e da spunti per la riflessione, per il collegamento con la vita emotiva e culturale dello studente che oggi, nel 21° secolo, si avvicina a testi di vari secoli fa. Si tratta di un approccio mirato per lo studente, per la sua età e le sue difficoltà linguistiche e motivazionali, e non per l'insegnante, per la sua gratificazione con testi complessi e analisi approfondite. Se lo ritiene utile e possibile, ogni insegnante può aggiungere sue riflessioni, prendendo spunto da quanto c'è nel testo.

Il progetto culturale complessivo
Questo testo è il cardine di un progetto complessivo per una presentazione della cultura italiana agile, semplice, bella (si tratta di progetti a colori: e chi insegna sa l'importanza motivazionale della bellezza fisica di un manuale); a questa storia letteraria si affiancheranno in futuro
- un agile manuale di storia politica, ambientale, culturale italiana, inserita nel quadro della storia delle varie aree culturali del mondo
- una breve introduzione all'arte italiana, con attività linguistiche che prendono le mosse dai quadri e dalle schede sui loro autori, ma anche con una guida alla percezione di un quadro o di una statua
- una raccolta di brevi, semplici ed economicissimi quaderni di cinema: informazioni sul regista, l'eventuale fonte letteraria, e poi l'analisi approfondita di alcune scene, lasciando il resto del film a una visione autonoma e globale, senza entrare nel dettaglio di ogni battuta.

Finito di stampare nel mese di luglio 2009
da Grafiche CMF - Foligno (PG)
per conto di Guerra Edizioni - Guru s.r.l.